FABRICE BARTHÉLÉMY - SOPHIE SOUSA - CAROLINE SPERANDIO

Crédits photographiques

13 ht : Ph.© Nicolas Tucat / REA - 13 m : BIS / Ph.Olivier Ploton © Archives Bordas - 13 bas : Ph. © Zir / SIGNATURES - 14 ht g : Ph. © Electa / LEEMAGE - 14 ht d : Ph. © Issouf Sanogo / GETTY IMAGES France - 14 m d : Ph. © Ludovic / REA - 14 bas g : Ph. Toutenphoton / FOTOLIA - 14 bas d : Ph. Christopher Meder / FOTOLIA - 15 : Ph. © Olly / FOTOLIA - 16 : © Julien THOMAZO/ REA - 17 ht g : BIS / Ph. Vlad_g - 17 ht m : Ph. © AGE / PHOTONONSTOP - 17 ht d : Ph. © Guido Alberto Rossi / Tips / PHOTONONSTOP - 17 m g : Ph. © Craig Pershouse / GETTY IMAGES France - 17 m m : Ph. © Kevin Burke / CORBIS - 17 m d : Ph. © Jean Michel Clajot / REPORTERS-REA - 17 bas : BIS / Ph. Alexey Seleznev - 18 ht g : Ph. © decorenkit.com-Jean-Louis Sagot - 18 ht d : Ph. © Jean-Luc Bertini / PICTURETANK - 18 bas : Ph. © SMART / CLM BBDO et NEW BBDO - 19 : Ph. © APILA - 20 ht : Ph © DR - 20 bas g : Ph. © Carlos Munus Yague / Divergence - 20 bas g : Ph. © Editions MEGACOM-IK - 20 : Ph. Alex White / FOTOLIA - 21 : Ph. © METZ - 22 : Ph.© Arquiplay 77 / FOTOLIA - 23 : Hong Kong, de Philippe Cognée - Ph. GALERIE DANIEL TEMPLON © Adagp, Paris 2013 - 24 ht : Ph. © Underwood et Underwood / CORBIS - 24 bas : Ph. © Heritage images / LEEMAGE - 25 ht et bas d Projets Lilypad et Asian Cairns © VINCENT CALLEBAUT ARCHITECTURES - www.vincent.callebaut.org - 25 m g : Ph. Logostylish / FOTOLIA - 25 bas g : Ph.Nmedia / FOTOLIA - 26 : © Vahram Muratyan / UNIVERS POCHE - 27 ht : BIS / Ph. ParisPhoto - 27 bas : BIS/ Ph.Guillaume Besnard - 29 ht g : Ph. Mario Beauregard / FOTOLIA - 29 ht d : Ph. NL Photos / FOTOLIA - 29 bas g : Ph. © Alexandre Fundone / GETTY IMAGES France - 29 bas d : Ph. Igor Rogozhnikov / SHUTTERSTOCK - 30 : Ph. © Julien Chatelin / DIVERGENCE - 31 ht : Ph. © Gilles Rolle / REA - 31 m : Ph. © MAIRIE DE PARIS - 31 bas : Ph. PhotographyByMK / FOTOLIA - 32 : Ph. © Noam Cilirie / RATP - 33 : Ph. © Benoît Decout / REA - 34 ht : Ph. © Max Esnee - 34 m : "La Cité idéale de Québec" Lyon ; conception : Jean-Paul EID / www.bd-eid.com ; Concept et Réal. © CitéCréation / www.citecreation.fr ; Prod : région Rhône-Alpes / www.rhonealpes.fr ; avec le soutien de la commission de la capitale nationale du Québec, l'appui du Lycée Lumière, du Musée Urbain Tony Garnier, et l'aide technique des Peintures Zolpan et de la société Reppelin. Ph. © Michel Djaoui - 34 bas : Ph. © Keith Levit / Design Pics / CORBIS - 35 ht : Ph. Maygytyak / FOTOLIA - 35 m : Ph. Subbotina Anna / FOTOLIA - 35 bas : Ph. Artlux / FOTOLIA - 36 ht : Ph. Dusan Zidar / FOTOLIA - 36 bas : © Edition L'Arpenteur - 39 ht : BIS/ Ph. Gomaespumoso - 39 bas : Ph. © Caruso 13 / FOTOLIA - 40 ht : Ph. Odua Images / FOTOLIA - 40 bas : Ph. © AlainGuilhot / DIVERGENCE - 44 ht : Ph. © Pavel Losevsky / FOTOLIA - 44 m : Ph.Odua Images / FOTOLIA - 44 bas : © La Semaine du Goût / LE PUBLIC SYSTÈME - 45 : Ph.Africa Studio / FOTOLIA - 46 : Ph. M.Studio / FOTOLIA - 47 : Ph. Yuri Arcurs / FOTOLIA - 48 : © Asso-ACSA / Aulnay-Sous-Bois - 49 : Ph. © Jodi Hilton / The New York Times - REDUX / REA - 50 : Ph. Andromina / SHUTTERSTOCK - 52 ht : © Dessin Hortence Tucoulat, Graphisme : www.alexdauchez.com /L' USINE A CHAPEAUX- MJC / Centre social Rambouillet - 53 ht : Ph. © Gonzalo Fuentes / REUTERS - 53 m : Ph. © Hamilton / REA - 53 bas g © OIF / Françoise Bonnafoux pour m/a Paris - 55 : Ph. Kurhan / FOTOLIA - 57 ht : Ph. Ph. Silvia Jansen / ISTOCK - 57 m : Ph. Antonio Nunes / FOTOLIA - 57 bas : Ph. © Druais / ANDIA - 58 ht : Ph. © Erick Lessing / AKG - 58 m : Ph. © Electa / LEEMAGE - 58 bas : © Succession Picasso 2013 - 59 ht d : Ph. © Luisa Ricciarini / LEEMAGE © Adagp, Paris 2013 - 59 bas : Ph. © Bertrand Langlois / AFP - 60 : Ph. © Philippe Roy / EPICUREANS - 61 g : Ph. © Mauritius / PHOTONONSTOP - 61 m : Ph. © J.C. Moscetti / REA - 61 d : BIS / Ph. Rafa Irusta - 62 ht : Ph. vgstudio / FOTOLIA - 63 : BIS / Ph. Axel Siefert - 64 : de g à d Ph. Pkchai, Luis Santos, Damato, ChantalS / FOTOLIA - 65 ht : Ph. Baloncini / SHUTTERSTOCK - 66 ht : Ph. © Bertrans Guay / AFP - 66 bas m : Ph. © François Guillot /AFP - 66 bas g : Ph. © Automne et N' krumah Lawson Daku / FESTIVAL AFRICOLOR - 66 bas : Ph. © Midget / Julien Bourgeois - 68 ht et 69 bas : Ph. © D.R La Bellevilloise - 69 ht : Ph. Auremar / FOTOLIA - 70 ht : Ph. © A.Antolino / Daria Bonera / COSMOS - 70 bas g : Ph. © Miguel Ajuria / PALAIS DU FESTIVAL ET DES CONGRES, CANNES - 70 bas d : Affiche du film "Amour" de Michael Haneke 2012 © les Films du Losange / Collection Christophe L - 71 : BIS/ Ph. Mimon - 73 ht : La Biennale di Venezia- Archivio Storico delle Arti Contemporanee / Ph. Giorgio Zucchiatti - 73 bas g : Ph. © Patrick Kovarik / AFP - 73 bas d : Ph. © Ali Ghandtschi / Berlinale - 74 : Ph.GALERIE BERNARD JORDAN, © Adagp, Paris 2013 - 75 g : Ph. © TCHALE FIGUEIRA - 75 d : «Still consomania» 2007 Samba Fall, © Adagp, Paris 2013 - 76 ht : The Artist de Michel Hazanavicius, 2011, © Warner Bros France / Collection Christophe L - 76 bas : Centre Pompidou,, Hervé Véronèse - 77 : Ph. Patryk Kosmider / FOTOLIA - 78 ht : My French Film Festival / UNIFRANCE - 78 m et b : Ph. © EUROCKENNES - 79 ht : Ph. Yuri arcurs / FOTOLIA - 79 m : Ph. © Patrice Lucenet / OREDIA - 79 bas : Ph. Laurent Gehant / FOTOLIA - 80 : Ph. © Studio Lipnitzki / ROGER-VIOLLET - 81 g : "Bien mal acquis ne profite jamais" © AlainR - 81 d : Ph. © Pascal Victor / ARTCOMART - 82 : Ph. © Pixtal /AGE FOTOSTOCK - 83 ht : Ph. © B.Boisonnet / BSIP - 83 bas : Ph. Diego Cervo / FOTOLIA - 84 ht : Ph. Mipan / FOTOLIA - 85 : BIS / Ph. Liddy Hansdottir - 87 ht : Ph. © Masyle / FOTOLIA - 87 bas : Ph. © Knut Wiarda / FOTOLIA - 88 g : Ph. Pxisjpej / FOTOLIA - 88 d : Extrait de "Les Bidochons-tome 7 © BINET / FLUIDE GLACIAL - 89 : Ph. © ADOC-PHOTOS - 91 ht : Ph. © MINISTERE DES AFFAIRES SOCIALES ET DE LA SANTE - 91 bas : © Deligne / ICONOVOX - 92 ht : Ph. Efired / FOTOLIA- 92 bas : Ph. Endostock / FOTOLIA - 93 g : © Frank Arieta - 93 d : Ph. Auremar / FOTOLIA - 94 : Ph. Pixs4u / FOTOLIA - 95 ht : Ph. Rido / FOTOLIA - 95 bas : Ph © Photo PQR / LE REPUBLICAIN LORRAIN / GOLINI Maury / MAXPPP - 96 ht : Ph © Ajpfilm / AGE FOTOSTOCK - 96 m : Ph. Martin Schlecht / FOTOLIA - 96 bas : Ph.©Tampa Bay Times / ZUMA/ REA - 97 ht : Ph. © Gallo Images / PANORAMIC - 97 m : Ph. © Alessandro Garafalo / REUTERS - 97 bas g : Ph. © Jose Manuel Ribeiro / REUTERS - 97 bas d : Ph. © Antony Bibard / PANORAMIC - 98 ht : BIS / Ph. Restyler - 98 bas : Ph. © Frank Guiziou / HEMIS - 99 ht : Ph. Tiramisu Studio / SHUTTERSTOCK - 99 bas : Ph. © Amelie-Benoist / BSIP - 100 ht d : Ph. Jacek Chabraszewski / FOTOLIA - 100 g : Ph. Samuel Borges / FOTOLIA - 100 m : Ph. Edyta Pawlowska / FOTOLIA - 101 ht : Ales Nowak / FOTOLIA - 101 m : Alvov / FOTOLIA - 101 bas : Maridav / FOTOLIA - 102 : Beboy / FOTOLIA - 103 : Géraldine Garçon, Carnet de Voyage en Turquie avec Pierre Loti, Magellan et compagnie - 104 m : Berg Hayes / FOTOLIA - 104 bas : Sergey / FOTOLIA - 105 : Eurelios / Philippe Plailly / LOOK AT SCIENCES - 106 ht : Jose Barea / Hoa-Qui / GAMMA RAPHO - 106 bas : Shock / FOTOLIA - 109 ht g : Sandor Jackal / FOTOLIA - 109 ht m : Dell / FOTOLIA - 109 ht d : Eray / FOTOLIA - 109 bas g : Luis Santos / FOTOLIA - 109 m bg : Mico Images / FOTOLIA - 109 m bd : Rob Marmion / SHUTTERSTOCK - 109 bas d : SHUTTERSTOCK - 110 ht : D.R. - 110 m : Alexis Duclos / GAMMA RAPHO - 111 g : Pascal Deloche / Godong / BSIP - 111 d : ROBERT Claire - 113 : Think4photop / FOTOLIA - 114 : Mikhail Dudarev / FOTOLIA - 115 : Droits Réservés - 116 : © AFP Photo - 118 ht : Remy Masseglia / FOTOLIA - 118 bas : Philippe Devannes / FOTOLIA -119 ht : FOTOLIA - 119 bas : Axily / FOTOLIA - 120 : Nicolas Dieppedalle / FOTOLIA - 122 ht : Coll. Jonas / KHARBINE-TAPABOR - 122 bas : Collection CHRISTOPHE L - 123 ht : FOTOLIA - 123 m : FOTOLIA - 123 bas : FOTOLIA - 124 : Collection CHRISTOPHE L - 125 : FOTOLIA - 126 : REA / Pascal Sittler - 127 ht : FOTOLIA - 127 bas : CHRISTOPHE L - 128 ht : FOTOLIA / Kzenon - 128 bas : FOTOLIA - 129 d : FOTOLIA - 129 g : Jo Graetz / FOTOLIA - 130 : FOTOLIA - 131 m : Beboy / FOTOLIA - 131 bas : Frédéric DELIGNE - 132 ht : FOTOLIA - 132 bas : Guillaume Duris / FOTOLIA - 133 : FOTOLIA - 135 ht : FOTOLIA - 135 bas : Mairie de Versailles - 136 : FOTOLIA / AnnaC - 137 : CORBIS / Dave & Les Jacobs - 138 : FOTOLIA - 139 ht : GELUCK Philippe - 139 bas : Chappatte dans "Le Temps", Genève - GLOBECARTOON.COM - 140 ht : Xinhua / GAMMA RAPHO - 140 m ht : Dassault Aviation - 140 m m : Airbus - 140 m bas : EADS - 140 bas : Arianespace - 141 ht g : Francis Demange / GAMMA RAPHO -141 ht d : D. Ducros CIEL ET ESPACE / CNES - 141 m d : Patrick Aventurier GAMMA RAPHO - 141 m g : Jean-Régis Roustan / ROGER-VIOLLET - 141 bas : Salon du Bourget / Illustration & Design graphique - 144 ht : Pixel & création / FOTOLIA - 144 bas : Tommaso Lizzul / FOTOLIA.

Directrice éditoriale : Béatrice Rego
Édition : Catherine Jardin
Responsable marketing : Thierry Lucas
Couverture : Miz'enpage/Lucía Jaime
Conception maquette : Miz'enpage
Mise en page : Isabelle Vacher

Recherche iconographique : Danièle Portaz, Juliette Barjon
Cartographie : Fernando San Martin
Enregistrements : K@Production
Vidéos : BAZ

ISBN : 978-2-09-038614-1

Bonjour,

Êtes-vous prêts pour de nouvelles découvertes avec ***Zénith 3*** ? Le niveau B1 de ***Zénith***, tout comme les niveaux A1 et A2, s'adresse à des adultes ou à de grands adolescents.

Ce troisième volume est prévu pour 180 heures d'enseignement. Chacune des 24 leçons de ***Zénith 3*** se structure autour de deux doubles pages :

- la partie « **Je comprends et je communique** » s'ouvre sur des documents déclencheurs (par exemple : un dialogue, une photo, un article de presse, un blog, un tableau). En accompagnement à ces documents sont aussi proposés des activités de compréhension orale et écrite, ainsi que des jeux de communication pour renforcer les acquis. Tout le vocabulaire nouveau est présenté dans un encadré. Des exercices de phonétique (« Je prononce »), enregistrés, complètent l'ensemble.
- la partie « **J'apprends et je m'entraîne** » permet aux apprenants de mettre en application le(s) point(s) de grammaire et le vocabulaire abordés dans la leçon à travers une série d'activités et d'exercices variés (écoute, production d'écrits, interaction orale).

Chaque unité se clôt sur deux pages de **civilisation**, des **exercices d'entraînement au DELF B1**, ainsi qu'un **bilan actionnel**. Celui-ci reprend les acquis des quatre leçons de l'unité, mais son objectif est surtout de placer l'apprenant dans une situation pratique réelle.

Un **précis grammatical** et des **tableaux de conjugaison** se trouvent en fin d'ouvrage.

Un livret de corrigés avec les transcriptions des dialogues et des exercices oraux est joint au livre de l'élève.

Le **DVD-ROM** contient tous les enregistrements des documents audio ainsi que des vidéos complémentaires.

Le **cahier d'activités *Zénith 3***, avec son livret de corrigés, offre à chacun la possibilité d'un travail en autonomie.

Il ne nous reste plus qu'à vous souhaiter de passer de bons moments avec ***Zénith 3***.

Les auteurs

STRUCTURE DU LIVRE DE L'ÉLÈVE

- 6 unités comprenant chacune :
  - 4 leçons de 4 pages chacune,
  - 1 double page Civilisation,
  - 1 entraînement au DELF,
  - 1 bilan actionnel
- Des annexes :
  - un précis grammatical, avec des tableaux de conjugaison
  - une carte de la francophonie (p. 12)
- Un DVD-ROM audio et vidéo
- Un livret de transcriptions et de corrigés

La page d'ouverture

1 vidéo par unité

Objectifs de communication

Le déroulement d'une unité

• 4 leçons

• 1 double page Civilisation

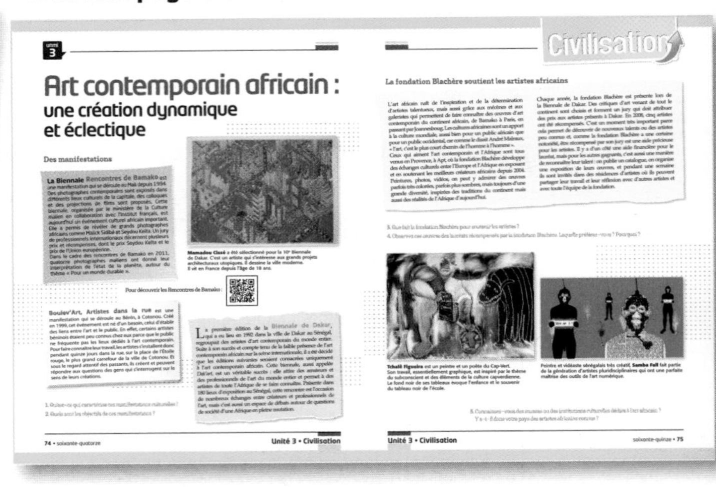

• 1 double page d'entraînement au DELF

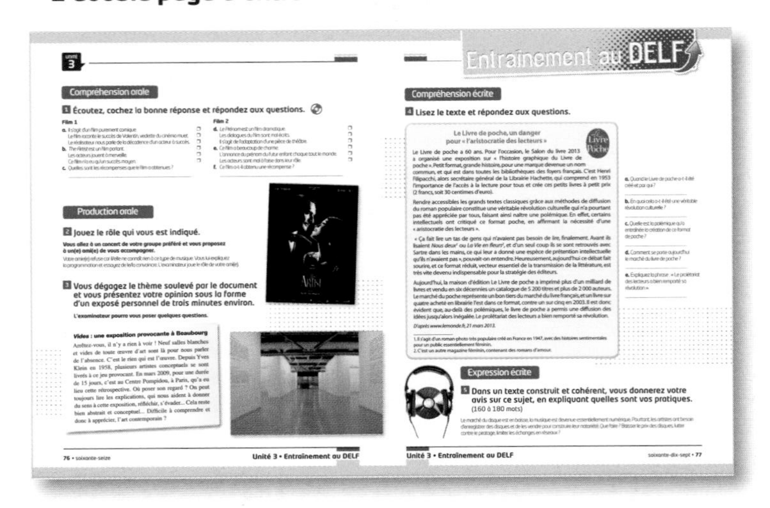

• 1 page Bilan actionnel

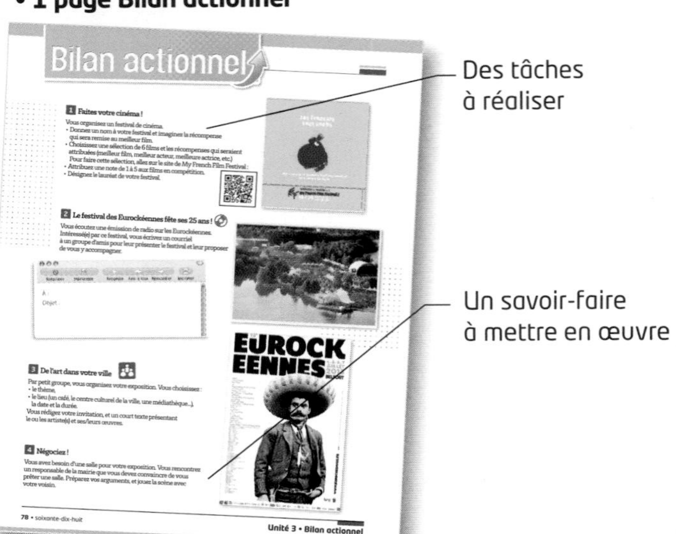

Des tâches à réaliser

Un savoir-faire à mettre en œuvre

Chaque leçon comprend :

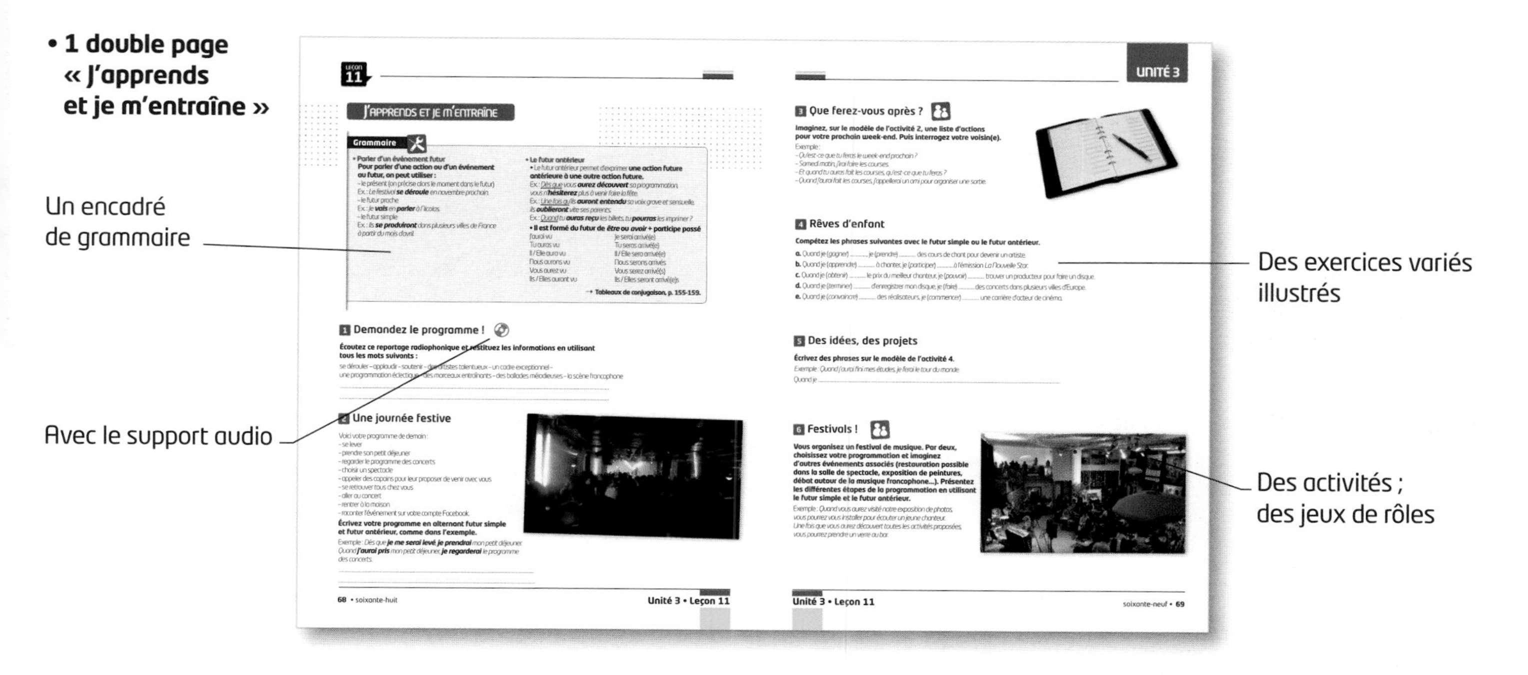

Les symboles

Séquence vidéo

Piste audio

Comprendre

Écrire

Phonétique

Vocabulaire

Grammaire

Interaction à deux

Interaction en groupe

Des outils d'évaluation

- **À la fin de chaque unité, une double page d'entraînement au DELF**

Travail des 4 compétences

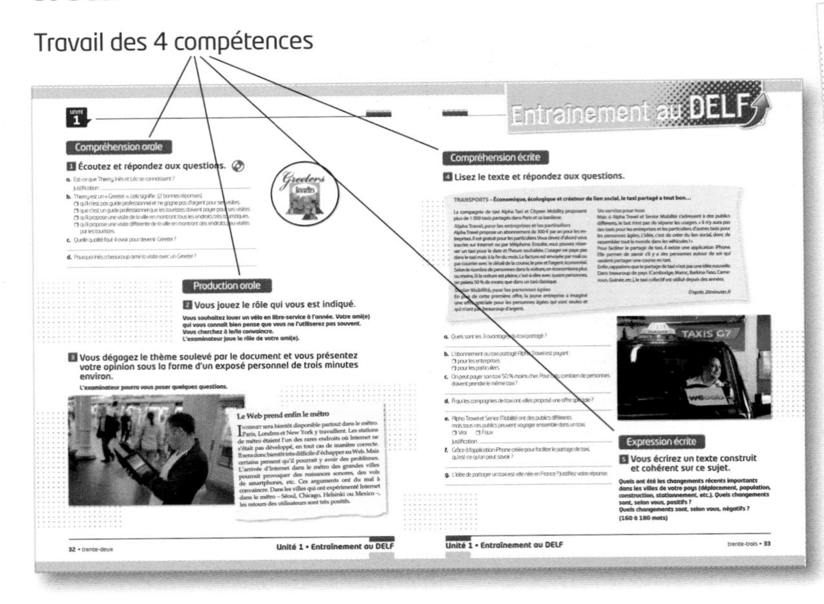

- **Et aussi des fiches d'évaluation dans le guide pédagogique…**

Des outils linguistiques nombreux

- **Un précis grammatical à la fin de l'ouvrage**

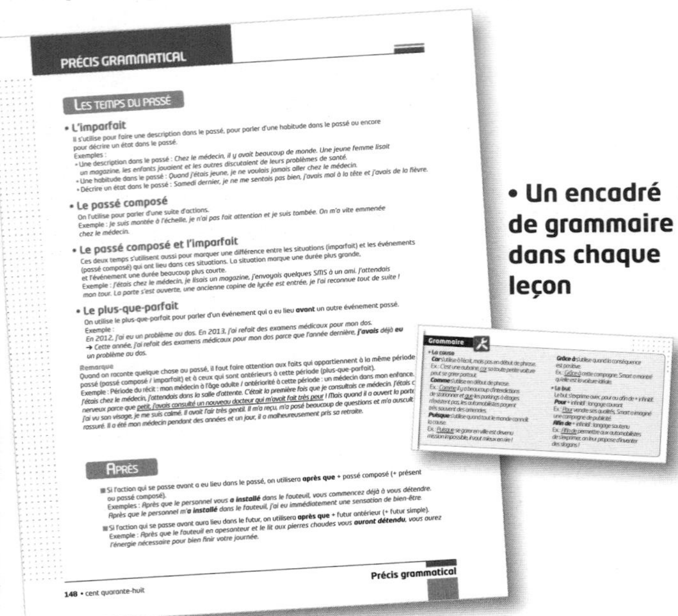

- **Un encadré de grammaire dans chaque leçon**

Un cahier d'activités très complet qui encourage à travailler en autonomie

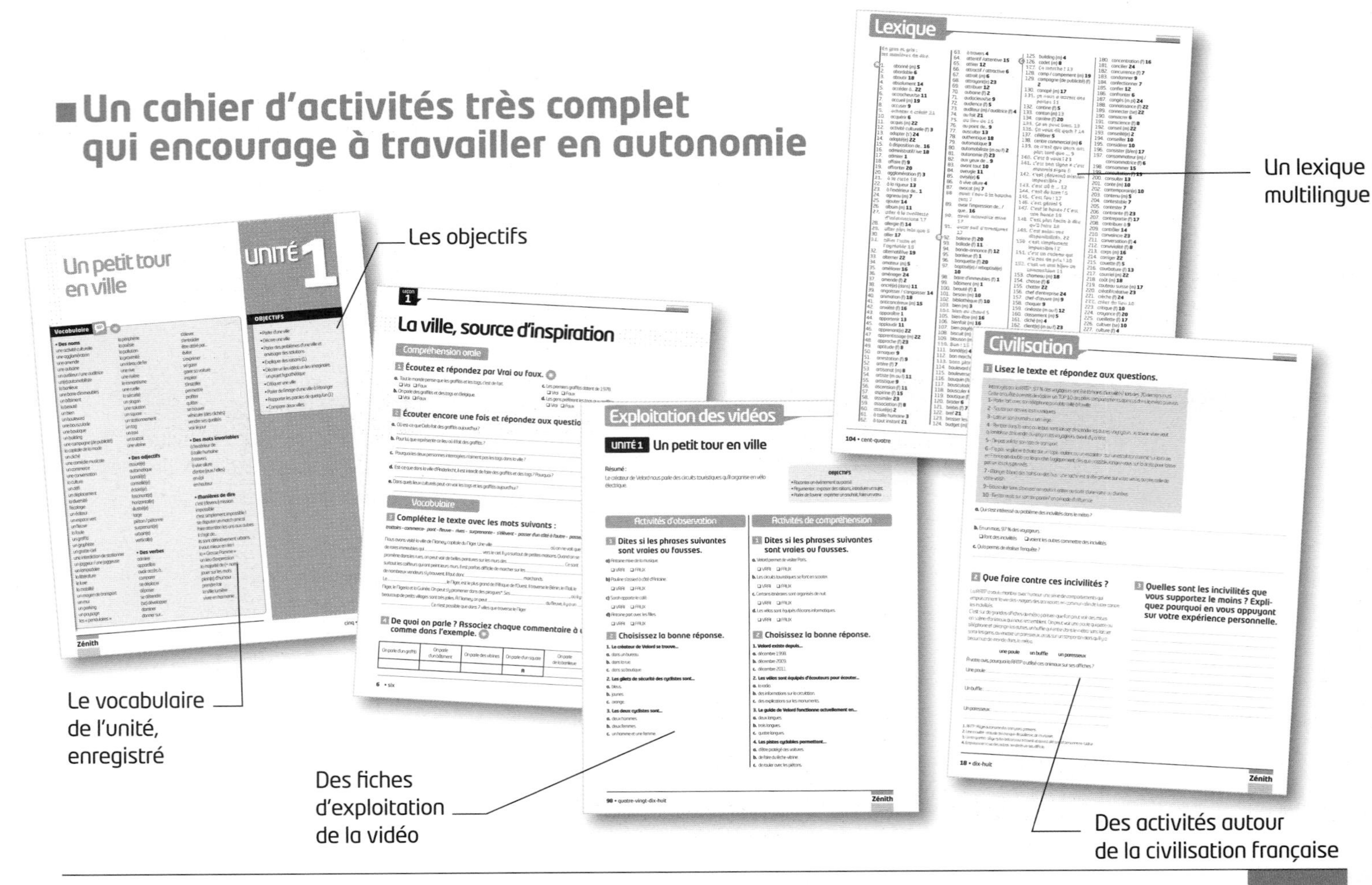

Les objectifs

Un lexique multilingue

Le vocabulaire de l'unité, enregistré

Des fiches d'exploitation de la vidéo

Des activités autour de la civilisation française

■ Le DVD-ROM (inclus dans le livre de l'élève)

→ Mode d'emploi du DVD-ROM page 160

- **L'audio**

- Tout l'audio du livre de l'élève et du cahier d'activités au format mp3
- Plus de 150 pistes d'une durée totale de 3 heures

- **La vidéo**

Séquence 1 : Un petit tour en ville

Séquence 2 : Loisirs, plaisirs

Séquence 3 : De l'art au quotidien

Séquence 4 : Comment vous sentez-vous ?

Séquence 5 : Les voyages

Séquence 6 : Vie active

- 1 séquence par unité
- Mini-fiction ou reportage en lien avec les contenus de l'unité
- Des fiches d'exploitation dans le cahier d'activités

Les versions numériques : du tableau à la tablette

• Une version numérique collective pour TBI ou vidéoprojection

- Compatible avec tous les TBI
- Utilisable en vidéoprojection
- Avec tous les composants de la méthode
- Accès direct aux ressources et médias
- Navigation linéaire ou personnalisée
- Possibilité d'ajouter ses propres ressources
- De nombreux outils et fonctionnalités

Votre clé USB pour plus de liberté et de praticité

- Avec cette clé, vous pouvez accéder immédiatement à votre manuel sur tout ordinateur, à votre domicile ou au sein de votre établissement.
- Tous vos travaux effectués sur le manuel (diaporama, cours, import de documents personnels) sont sauvegardés automatiquement sur la clé et disponibles à tout moment.
- Une aide à la prise en main et un mode d'emploi détaillé sont inclus dans votre manuel numérique.

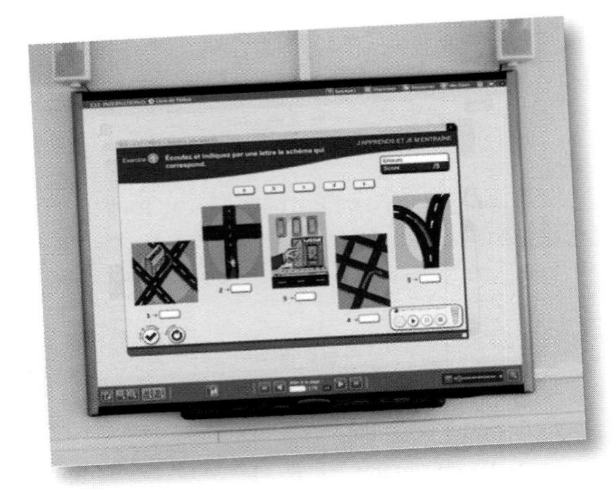

- Insertion par l'enseignant de ses propres documents (texte, image, audio, vidéo, présentation...)
- Création, organisation, sauvegarde et partage de ses séquences contenant pages, ressources *Zénith* et personnelles
- 24 activités interactives, corrigés
- Dialogues en « karaoké » permettant l'attribution de rôles à un ou plusieurs étudiants
- Enregistrement des productions orales
- Export PDF page à page
- Mise à jour gratuite en cas de nouvelle version
- Guide d'utilisation vidéo (en ligne)
- Disponible sur clé USB avec 2Go d'espace personnel (ou plus selon le niveau)

• Une version numérique individuelle

- Le livre de l'élève avec la vidéo, des tests et un bilan actionnel interactifs et tout l'audio
- Le cahier d'activités avec tous les exercices interactifs et l'audio

Pour toutes les plateformes :

- Tablettes
- PC/Mac *offline* ou *online*
- Plateformes e-learning (packs SCORM)

Tout papier, tout numérique ou bi-média, *Zénith* donne le choix à ses étudiants !

L'application peut remplacer les livres ou les compléter pour ceux qui souhaitent disposer d'un ouvrage papier et d'une version numérique selon le contexte d'utilisation. On peut aussi préférer un livre élève papier pour la classe et un cahier d'activités numérique pour une utilisation autonome fixe ou nomade . D'autres seront plus à l'aise avec un cahier d'activités classique mais apprécieront le confort et les fonctions des tablettes pour la lecture et l'utilisation du manuel.

Selon le type d'exercice, autocorrection, score et corrigés sont directement accessibles.

Simple d'utilisation, l'application permet une navigation par page ou un enchaînement direct des exercices. Toutes les réponses aux exercices, les scores, les annotations sont enregistrés.

Unité 1 : Un petit tour en ville

Leçon	Savoir-faire	Grammaire	Vocabulaire	Phonétique
Leçon 1 La ville, source d'inspiration	• Parler d'une ville • Décrire une ville	• Les pronoms relatifs *qui / que / où / dont*	• La ville et la banlieue	• [ʀ] / [l]
LEÇON 2 La ville, que du bonheur ?	• Parler des problèmes d'une ville et envisager des solutions • Expliquer des raisons (1)	• La cause (1) : *comme, puisque, car, grâce à* • Le but (1) : *pour / afin de* + infinitif	• Le stationnement en ville	• [i] / [y]
LEÇON 3 La ville idéale	• Décrire un lieu idéal, un lieu imaginaire, un projet hypothétique • Critiquer une ville	• Le conditionnel présent : l'idéal / le futur irréel	• L'urbanisme	• [ɑ̃] / [ɔ̃] / [ɛ̃]
LEÇON 4 La ville et ses clichés	• Parler de l'image d'une ville à l'étranger • Rapporter les paroles de quelqu'un (1) • Comparer deux villes	• Le discours rapporté au présent	• Les stéréotypes des villes	• [d] / [t]

- **Civilisation : Les transports individuels en ville**
- **Entraînement au DELF**
- **Bilan actionnel**

Unité 2 : Loisirs, plaisirs

Leçon	Savoir-faire	Grammaire	Vocabulaire	Phonétique
LEÇON 5 Les plaisirs minuscules	• Exprimer des souvenirs • Rédiger un texte à la manière d'une table des matières • Écrire un texte descriptif / un texte journalistique • Proposer	• Les pronoms personnels • La place des pronoms dans la phrase	• Le goût et l'évocation des souvenirs	• [i] / [ɥ]
LEÇON 6 L'achat plaisir	• Comprendre des titres de journaux • Exprimer ses envies • Comparer des chiffres • Commenter des données statistiques	• Les subordonnées de temps (1) • Les conjonctions de subordination • L'antériorité, la simultanéité et la postériorité	• Les envies, les achats	• [ɑ̃] / [ɔ̃] / [ɛ̃]
LEÇON 7 Le plaisir des papilles	• Critiquer/mettre en valeur • Reformuler des propos	• La nominalisation	• La gastronomie • L'art de la table	• [e] / [ɛ̃]
LEÇON 8 Quand loisir rime avec plaisir	• Comparer • Rédiger un court argumentaire (avantages/ inconvénients). • Décrire ses loisirs	• L'expression de la conséquence	• Les activités culturelles et sportives	• [ɔ]

- **Civilisation : Les fêtes**
- **Entraînement au DELF**
- **Bilan actionnel**

UNITÉ 3 : DE L'ART AU QUOTIDIEN

Leçon	Savoir-faire	Grammaire	Vocabulaire	Phonétique
LEÇON 9 **On a volé la *Joconde* !**	• Raconter un fait divers • Présenter une œuvre d'art • Organiser une exposition	• La forme passive : – *être* + participe passé – la valeur passive de *on*	• Le fait divers autour de l'art	• [ʀ] en début de mot / [ʀ] combiné à une autre consonne
LEÇON 10 **Plaisir de lire**	• Exprimer son opinion • Exprimer ses doutes et ses certitudes • Raconter un livre • Participer à un débat	• L'utilisation de l'indicatif et du subjonctif dans l'expression de l'opinion : – les verbes d'opinion : *je pense / je crois / je trouve que ...*+ indicatif – *je ne crois pas / je ne pense pas que* + subjonctif	• La lecture • La critique littéraire	• [w] / [ɥ]
LEÇON 11 **Toute la musique que j'aime**	• Parler d'un événement futur • Exprimer l'antériorité au futur • Faire des projets de sorties • Mettre en place une programmation	• Le futur antérieur *Quand / Dès que / Une fois que* + futur antérieur, + futur simple.	• La musique : artistes, parcours, concerts	• L'enchaînement consonantique
LEÇON 12 **Sur grand écran**	• Structurer son discours • Argumenter (1) • Faire la critique d'un film	• Les articulateurs du discours (*en effet, en fait, d'ailleurs, par ailleurs, au contraire, alors que, pourtant*)	• Le cinéma • Festivals et récompenses	• [œ]

- **Civilisation : L'art contemporain africain**
- **Entraînement au DELF**
- **Bilan actionnel**

UNITÉ 4 : COMMENT VOUS SENTEZ-VOUS ?

Leçon	Savoir-faire	Grammaire	Vocabulaire	Phonétique
LEÇON 13 **La consultation chez le médecin**	• Décrire des problèmes de santé • Exprimer une condition • Faire des recommandations • Parler de son passé médical	• Les temps du passé (1) : le passé composé, l'imparfait, le plus-que-parfait • Le subjonctif (1) : – la condition – le but – l'interdiction – le souhait	• La consultation médicale • Les symptômes (1)	• Les différentes intonations de la phrase interrogative et exclamative
LEÇON 14 **Les nouvelles technologies et la santé**	• Rapporter les paroles de quelqu'un (2), ses propres pensées, ses propres interrogations • Décrire des applications smartphone pour la santé • Interroger sur la santé	• Le discours rapporté au passé : – la concordance des temps – les verbes introducteurs : *dire, ajouter, demander, répondre penser, se dire, s'apercevoir, savoir, ignorer, se demander, entendre dire*	• Les symptômes (2) • Les maladies • Quelques actes médicaux	• [e] / [ɛ]
LEÇON 15 **Consommation ou surconsommation de médicaments ?**	• Expliquer des raisons (2) • Expliquer les raisons de sa colère	• La cause (2) – *étant donné* (*que*) – le participe présent – *en effet*	• Les médicaments • Les médecins	• [ʒ] / [ʃ] • [f] / [v]
LEÇON 16 **La sieste, bonne pour la santé ?**	• Exprimer une information incertaine • Exprimer ses sensations • Exprimer une antériorité • Décrire une affiche publicitaire	• Le conditionnel présent • *Après* + nom *Après* + infinitif passé *Après* + indicatif	• Le bien-être • Les bienfaits du sommeil	• Les enchaînements • Les liaisons obligatoires

- **Civilisation : Le sport**
- **Entraînement au DELF**
- **Bilan actionnel**

Unité 5 : Les voyages

Leçon	Savoir-faire	Grammaire	Vocabulaire	Phonétique
Leçon 17 Quel voyageur êtes-vous ?	• Se décrire • Comprendre un test et y répondre • Raconter un événement du passé	• Les temps du passé (2) : le passé composé, l'imparfait, le passé simple et le plus-que-parfait • La valeur des temps du passé	• Le tourisme	• [p] / [b]
Leçon 18 Un voyage à la carte	• Exprimer des choix • Donner des conseils • Nuancer	• L'expression du temps	• Les voyages (narration)	• [k] / [g]
Leçon 19 Le tourisme équitable	• Localiser • Proposer des solutions	• Les prépositions de lieu	• La localisation	• Les marques du féminin
Leçon 20 Les grands explorateurs	• Exprimer des regrets (à l'écrit, à l'oral) • Faire des reproches • Émettre des doutes	• Le conditionnel passé	• Les récits de voyage	• [e] / [ɛ] : la marque du féminin en fin de mot

- **Civilisation : Voyages extrêmes**
- **Entraînement au DELF**
- **Bilan actionnel**

Unité 6 : La vie active

Leçon	Savoir-faire	Grammaire	Vocabulaire	Phonétique
Leçon 21 Ah ! Si j'étais riche...	• Exprimer une hypothèse incertaine • Exprimer une hypothèse non réalisée	• L'hypothèse dans le présent et dans le passé • *Si* + imparfait, conditionnel présent • *Si* + plus-que-parfait, conditionnel présent/conditionnel passé	• L'argent : valeurs et comportements	• [b] / [v]
Leçon 22 Je me forme	• Demander des informations • Demander des précisions • Décrire un dispositif de formation	• La double pronominalisation	• Apprendre avec les nouvelles technologies	• L'articulation des doubles pronoms
Leçon 23 Présentez-vous !	• Présenter sa situation professionnelle, parler de ses projets professionnels • Mettre en valeur son propos • Formuler des conseils	• Les pronoms relatifs neutres : *ce que / ce qui / ce dont* • La mise en relief : *Ce qui ..., c'est ...* *Ce que .... / c'est ...* *Ce dont ... / c'est ....* *C'est ce qui ... / Voilà ce que ...*	• Le monde professionnel : l'entreprise et l'emploi	• *Ce qui* [ski], *ce que* [skø] et l'intonation d'insistance
Leçon 24 Temps de travail	• Parler de ses conditions de travail • Opposer des faits, des arguments • Exprimer la concession • Argumenter (2)	• L'expression de l'opposition (*par contre, en revanche, contrairement à*) • L'expression de la concession (*bien que, même si, quand même, malgré, cependant*)	• Le travail : rythme et organisation	• [j] / [i]

- **Civilisation : L'industrie aéronautique et spatiale française et européenne**
- **Entraînement au DELF**
- **Bilan actionnel**

Précis grammatical .... **p. 145**
Tableaux de conjugaison .... **p. 154**

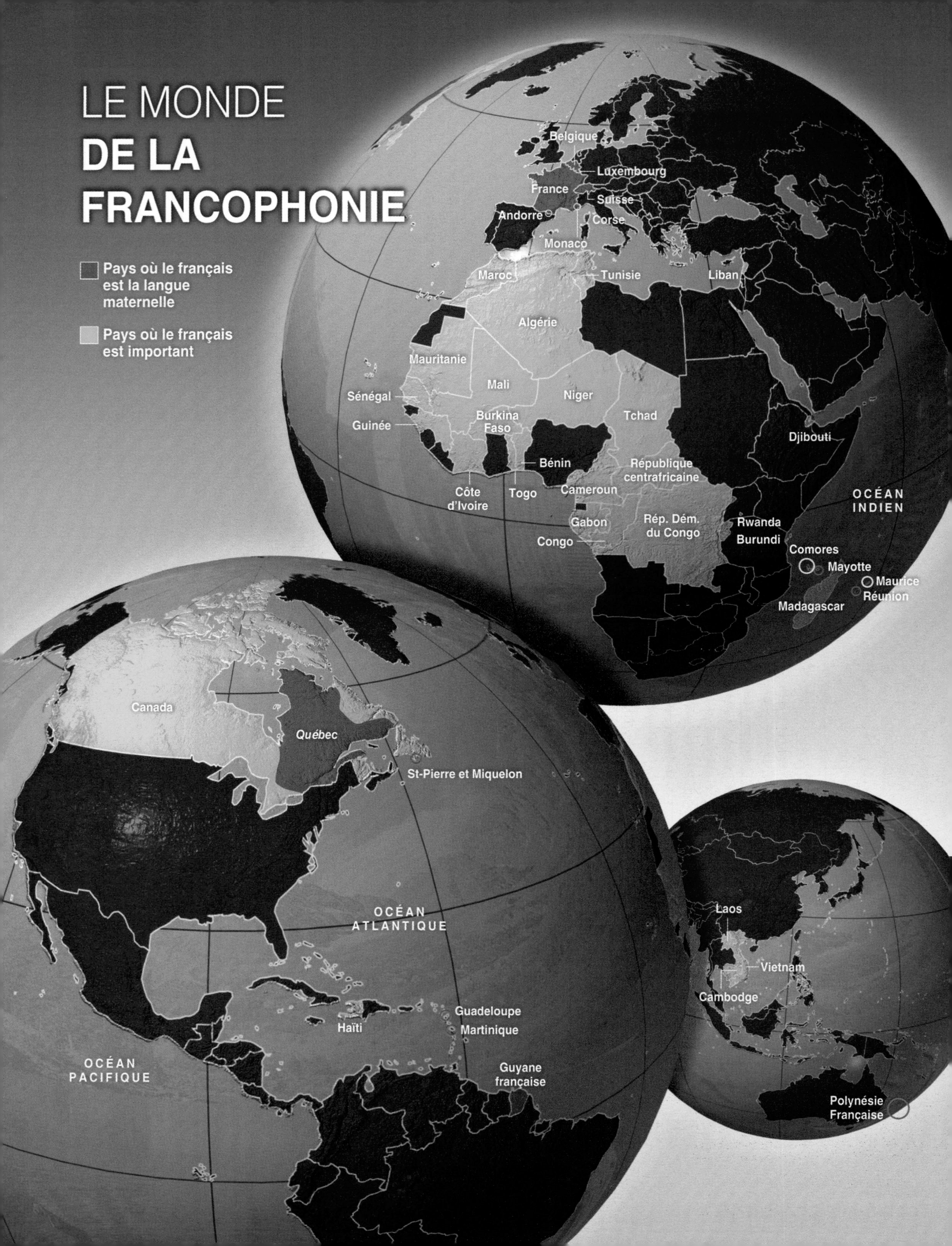
LE MONDE
DE LA
FRANCOPHONIE
Pays où le français est la langue maternelle
Pays où le français est important
Belgique
Luxembourg
France
Suisse
Andorre
Corse
Monaco
Maroc
Tunisie
Liban
Algérie
Mauritanie
Mali
Niger
Sénégal
Guinée
Burkina Faso
Tchad
Djibouti
Bénin
République centrafricaine
Côte d'Ivoire
Togo
Cameroun
OCÉAN INDIEN
Gabon
Rép. Dém. du Congo
Rwanda
Burundi
Congo
Comores
Mayotte
Maurice
Réunion
Madagascar
Canada
Québec
St-Pierre et Miquelon
OCÉAN ATLANTIQUE
Laos
Vietnam
Cambodge
Guadeloupe
Haïti
Martinique
OCÉAN PACIFIQUE
Guyane française
Polynésie Française

Un petit tour en ville

UNITÉ 1

La ville, source d'inspiration

- Parler d'une ville – décrire une ville

La ville, que du bonheur ?

- Parler des problèmes d'une ville et envisager des solutions – expliquer des raisons (1)

La ville idéale

- Décrire un lieu idéal, un lieu imaginaire, un projet hypothétique – critiquer une ville

La ville et ses clichés

- Parler de l'image d'une ville à l'étranger – rapporter les paroles de quelqu'un (1) – comparer deux villes

La ville, source d'inspiration

Je comprends et je communique

1 La ville et les arts

La ville est présente dans le cinéma qui est né à peu près en même temps que les premières grandes villes. Elle apparaît également très souvent dans la peinture, la littérature, la poésie ou encore la photographie : immeubles, squares, trottoirs, ruelles mal éclairées et vitrines inspirent les artistes.

2 La ville en images 

1.

2.

3.

4.

5.

Vocabulaire 

• Noms
la littérature
la poésie
un square
un trottoir
une ruelle
une vitrine
un tag
un graffiti
un mur
un bâtiment
un rideau de fer
un commerce
la beauté
la banlieue
un paysage
une barre d'immeubles
la périphérie
un boulevard
un fleuve / une rivière
une rive
un pont

• Adjectifs
éclairé(e)
surprenante

• Verbes
apparaître
inspirer
admirer
s'élever
se trouver
profiter
prendre l'air
se détendre
donner sur
passer au milieu de

• Mots invariables
à l'extérieur de
en hauteur

Comprendre

• Lisez le texte 1 de la page 14 et répondez aux questions.

a. Quel art est né en même temps que les premières grandes villes ?
b. Dans quels autres arts la ville a une place importante ?
c. Quels éléments de la ville inspirent les artistes ?

Communiquer

Faites la liste de ce que vous aimez prendre en photo dans une ville (les gens, les monuments, les bâtiments, les rues). Dites pourquoi vous aimez prendre ces photos (parce que c'est beau, parce que c'est la réalité). Comparez avec votre voisin(e).

Écouter

• Écoutez les descriptions de la ville et associez-les aux images du document 2 page 14.

Description	a	b	c	d	e
Image					

Écrire

La ville vous inspire-t-elle ? En petits groupes, choisissez une ville. Imaginez un poème comme dans l'exemple (la ville de Bejaia en Algérie).

Exemple :

Belle est ma ville à l'Histoire millénaire
Elle a été la capitale de l'Humanité tout entière
J'aime ses rues, ses odeurs
Avec ses bâtiments en couleur
Impossible de ne pas y être heureux
Au premier regard, on en tombe amoureux

Je prononce 

• Écoutez et répétez.

Le son [ʀ]	Le son [l]	[ʀ] / [l]
inspirent	la ville	éclairé
premières	également	ruelle
squares	spectacle	l'extérieur
trottoirs	les immeubles	prendre l'air
photographie	les fleuves	centre-ville
la rivière	au milieu	la littérature
un mur	banlieue	les soirées
un rideau de fer	s'élèvent	boulevards
commerces	longs	
périphérie		

J'APPRENDS ET JE M'ENTRAÎNE

Grammaire

Les pronoms relatifs

Les pronoms ***qui*/*que*/*où*/*dont*** remplacent le(s) nom(s) qui précède(nt) pour éviter la répétition.
Ils servent à relier deux phrases.

• Le pronom *qui*
Il remplace le nom, sujet de la deuxième phrase.
Ex. : *La ville, c'est aussi ses cafés, ses terrasses qui donnent sur la rue.*
→ *La ville, c'est aussi ses cafés, ses terrasses. Ces cafés, ces terrasses donnent sur la rue.*

• Le pronom *que* ou *qu'*
Il remplace le(s) nom(s) complément(s) d'objet de la deuxième phrase.
Ex. : *On peut y voir des tags ou des graffitis qu'on peut admirer sur les murs.*
→ *On peut y voir des tags ou des graffitis. On peut admirer ces tags et ces graffitis sur les murs.*

• Le pronom *où*
Il remplace le complément de lieu de la deuxième phrase.
Ex. : *La banlieue offre un paysage très différent, où s'élèvent un grand nombre de barres d'immeubles.*
→ *La banlieue offre un paysage très différent. Un grand nombre de barres d'immeubles s'élèvent dans ce paysage.*

• Le pronom *dont*
Il remplace un complément précédé de la préposition *de*.
– Il peut être complément d'un nom :
Ex. : *On peut y voir des tags ou des graffitis dont la beauté est parfois surprenante.*
→ *On peut y voir des tags et des graffitis. La beauté de ces tags et de ces graffitis est parfois surprenante.*
– Il peut être complément d'un verbe :
Ex. : *La ville, c'est aussi ses cafés, ses terrasses dont les gens profitent.*
→ *La ville, c'est aussi ses cafés, ses terrasses. Les gens profitent de ses cafés, ses terrasses.*

1 Une promenade en ville

Utilisez les mots du vocabulaire p. 15 pour raconter à l'écrit une promenade dans la ville. Racontez votre promenade au présent comme dans l'exemple.

Exemple : *Je me promène souvent au bord du* fleuve *pendant une demi-heure en général. Ensuite, je traverse le* pont *et je continue ma balade dans les* ruelles *du centre-ville. J'aime regarder les gens aux* terrasses *des cafés…*

2 Il n'y a pas tout dans ma ville

Quels endroits n'existent pas dans votre ville ? Répondez à l'aide de l'exemple.

Exemple : *Il manque des cafés où on peut boire un verre en terrasse.*

3 De quelle ville on parle ?

Répartissez-vous en deux groupes. Le professeur donne 3 images de ville à trois personnes de chaque groupe. Chacune de ces personnes fait deviner ces villes à son groupe.
Continuez les devinettes en décrivant les villes de votre choix.

Exemple : *C'est une ville de France, où les immeubles ne sont pas très hauts, mais où il y a trois grandes tours. C'est une ville qui se trouve près des montagnes dont les habitants profitent été comme hiver. On peut passer sur un pont pour traverser la rivière.*

→ *C'est Grenoble*

Montréal, Canada

Saint-Pierre-et-Miquelon

Pointe-à-Pitre, Guadeloupe

Abidjan, Côte d'Ivoire

Liège, Belgique

Kinshasa, République démocratique du Congo

4 La ville et vous

Par groupe de deux, préparez des questions pour votre voisin(e) sur la ville où il / elle vit.
Utilisez les verbes suivants : *avoir besoin de - avoir envie de - profiter de - se souvenir de - parler de - s'occuper de - se moquer de.*
Vous devez également utiliser le pronom relatif *dont*.

Exemple : *Quel est le commerce dont tu as absolument besoin juste en bas de chez toi ?*

5 Portrait de votre ville

Décrivez votre propre ville en utilisant les pronoms relatifs *qui, que, où, dont.*

Exemple : *C'est une ville* où *il y a beaucoup de monuments,* que *les gens visitent hiver comme été* et dont *la réputation est internationale. C'est une ville* qui *propose de nombreuses activités culturelles* et dont *les habitants profitent toute l'année.*

La ville, que du bonheur ?

JE COMPRENDS ET JE COMMUNIQUE

1 Se garer en ville

2 Stationner dans le monde

3 Exprimez-vous !

Smart lance une campagne de pub participative

Trouver une place en ville, c'est simplement impossible ! Mais pour Smart, c'est une aubaine, car sa toute petite voiture peut se garer partout ! Pour vendre ses qualités, Smart a imaginé une campagne de publicité pleine d'humour. Puisque se garer en ville est devenu mission impossible, il vaut mieux en rire !
C'est ce que fait cette marque, en jouant sur les mots et les noms des villes dans des slogans. Bien sûr, grâce à cette campagne, Smart veut montrer qu'elle est la voiture idéale pour toutes les villes.
Et afin de permettre aux automobilistes de s'exprimer, on leur propose d'inventer eux-mêmes des slogans !

Puteaux est une commune d'Île-de-France. Phonétiquement, son nom est proche de « plus tôt ».

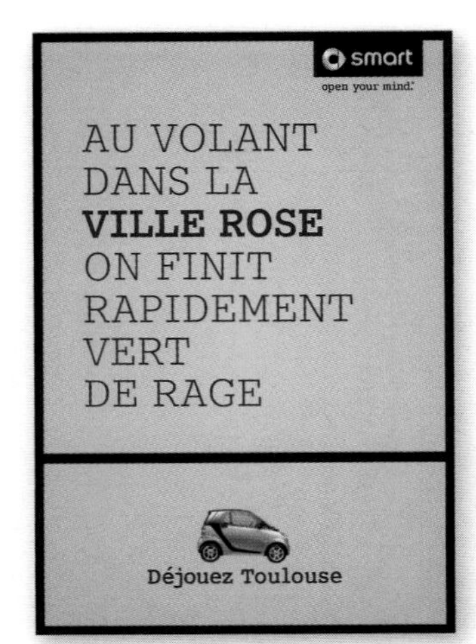

La « ville rose » est le surnom de Toulouse ; « vert de rage » signifie très en colère.

La place Saint-Sulpice est à Paris ; son nom est proche de « supplice » : une souffrance violente.

Vocabulaire

• Noms
le stationnement
une interdiction de stationner
un parking
un(e) automobiliste
une amende
la mobilité
une solution
un pendulaire
une aubaine
une campagne (de publicité)
un slogan

• Adjectifs
horizontal
vertical
conseillé
assuré

• Verbes
garer sa voiture
se garer
éviter
vendre ses qualités
permettre
s'exprimer

• Mots invariables
en épi
d'entre eux / elles

• Manières de dire
la majorité de (+ noms) (des villes du monde)
C'est simplement impossible !
C'est (devenu) mission impossible.
Il vaut mieux en rire !
plein(e) d'humour
jouer sur les mots

Écouter

• Écoutez le document 2 p. 18 et répondez aux questions.
a. Pourquoi est-il difficile de se garer à Sétif ? Donnez deux raisons.
b. À Rimouski, combien d'habitants pensent qu'il y a un gros problème de stationnement dans leur ville ?
c. À Lausanne ou à Genève, où habitent les personnes qui ont des problèmes de stationnement ? Où travaillent-elles ?

Comprendre

1. Regardez le document 1 p. 18. Quel problème ont les gens en ville ?

2. Lisez le document 3 p. 18 et répondez aux questions.
a. Pourquoi Smart a imaginé une campagne de publicité ?
b. Comment Smart fait rire les automobilistes qui ne trouvent pas de place pour se garer ?
c. Comment les automobilistes peuvent participer à cette campagne ?

Écrire

L'application mobile Apila permet de trouver des places de stationnement dans la rue. Vous l'utilisez régulièrement. Racontez : elle marche bien, assez bien, ou mal ? Pourquoi ?

Communiquer

1. Que pensez-vous de cette campagne de publicité ? Vous donne-t-elle envie d'acheter une petite voiture comme celle-ci ?

2. Proposez d'autres solutions pour résoudre le problème de stationnement en ville.

Je prononce

• Écoutez et répétez.

Le son [i]	Le son [y]
automobilistes	voiture
rire	devenu
éviter	assuré
en épi	humour
horizontal	solution
mobilité	pendulaire
impossible	

J'APPRENDS ET JE M'ENTRAÎNE

Grammaire

• **La cause**

Car s'utilise à l'écrit, mais pas en début de phrase.
Ex. : *C'est une aubaine, car sa toute petite voiture peut se garer partout.*

Comme s'utilise en début de phrase.
Ex. : *Comme il y a beaucoup d'interdictions de stationner et que les parkings à étages n'existent pas, les automobilistes payent très souvent des amendes.*

Puisque s'utilise quand tout le monde connaît la cause.
Ex. : *Puisque se garer en ville est devenu mission impossible, il vaut mieux en rire !*

Grâce à s'utilise quand la conséquence est positive.
Ex. : *Grâce à cette campagne, Smart a montré qu'elle est la voiture idéale.*

• **Le but**

Le but s'exprime avec *pour* ou *afin de* + infinitif.

Pour + infinitif : langage courant
Ex. : *Pour vendre ses qualités, Smart a imaginé une campagne de publicité.*

Afin de + infinitif : langage soutenu
Ex. : *Afin de permettre aux automobilistes de s'exprimer, on leur propose d'inventer des slogans !*

1 E-parking

Le stationnement e-parking (chèque parking ou parking P10) est une nouvelle idée proposée par l'aéroport de Marseille-Provence. Imaginez le fonctionnement de ce service et pourquoi il a été inventé. Utilisez les mots suivants : *chercher une place, trouver (une place), le stationnement* ou *stationner, garer sa voiture, la ville, éviter, permettre, les automobilistes, une solution, le parking, une place assurée.*

2 Améliorer la vie en ville

a. Écoutez une première fois et associez les commentaires aux affiches.

Affiche	1	2	3
Commentaire	....	....	....

b. Écoutez une deuxième fois et complétez le tableau. Pourquoi a-t-on fait ces journées ? Et dans quel but ?

	Les causes	Le but
a.	....	....
b.	....	....
c.	....	....

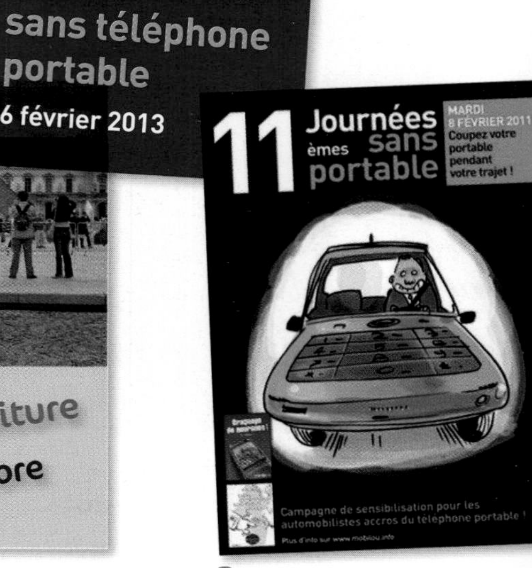

1

3

2

3 Une journée sans...

Pour améliorer la vie en ville, imaginez une « journée sans ... ». Aidez-vous de l'exemple. Utilisez des expressions de cause.

Exemple : *Une journée sans stress et sans colère*
Dans une ville, il y a beaucoup de monde car on y trouve des commerces, des cafés, des musées, etc. Comme il y a toujours beaucoup de monde, les gens sont souvent stressés et en colère. Puisque chacun de nous connaît ce problème, il faut faire une journée sans stress et sans colère. Grâce à cette journée, les gens pourront rester calmes en ville.

4 Je veux vivre dans cette ville !

Décrivez ces deux affiches publicitaires. Quel est leur but ? Utilisez « pour » ou « afin de » + l'infinitif.

1.

C'EST DÉCIDÉ, ELLE S'INSTALLE À METZ !

Mon chéri, Je te quitte pour Metz ! Rejoins-moi ou oublie-moi ! Ta chérie.

WWW.JEVEUXMETZ.COM

VOUS AUSSI, PRENEZ VOTRE DESTIN EN MAIN, INSTALLEZ-VOUS À METZ MÉTROPOLE !

2.

La ville idéale

JE COMPRENDS ET JE COMMUNIQUE

1 La ville rêvée

2 À quoi ressemblerait votre ville idéale ?

> Appels à contribution

Architecture, transports, espaces verts… À quoi ressemblerait votre ville idéale ?
Partagez votre avis et vos idées avec les lecteurs de *L'Internaute Magazine*.

Audrey A Brest	Les maisons seraient en gâteau au chocolat, les rues avec des lampadaires en sucre, il y aurait des magasins où tout serait gratuit. Ce serait une ville où l'argent n'existerait pas…
Léonie Paris	Ce serait une ville où les gens s'entraideraient, où on ferait attention les uns aux autres. On connaîtrait ses voisins et on s'inquièterait pour eux.
Bastien Blanc Montpellier	Dans ma ville idéale, les habitants vivraient dans des tours larges avec terrasses et jardins à tous les étages. L'espace, c'est très important.
Diana Diop Dakar	Les gens se comporteraient bien. Pour bien vivre entre eux mais aussi pour l'écologie. Dans la ville idéale, il n'y aurait pas de gens pauvres, pas d'enfants qui vivraient dans les rues. Les hommes vivraient en harmonie.
Killian Labbée Montréal	Les habitants vivraient dans des gratte-ciel avec de grands jardins à tous les étages. Chaque appartement aurait ainsi une vue exceptionnelle sur la ville. Dans chaque tour et à chaque étage, les habitants auraient accès à des loisirs et des commerces. Ils pourraient faire leurs courses sans sortir de la tour. Un métro très rapide et tout automatique se déplacerait dans la ville de tour en tour et déposerait les passagers.
Farida Scheerden Bruxelles	La circulation automobile ne serait pas interdite car les véhicules non polluants vont se développer mais la circulation se ferait sous la terre. Les rues seraient toutes piétonnes.
Gustanly Miampika Dakar	D'abord, il y aurait de l'eau. L'eau, c'est la vie. Il y aurait aussi des voitures et des routes pour développer le commerce.

Vocabulaire

• Noms
un moyen de transport
une activité culturelle
une agglomération
la diversité
un déplacement
la proximité
la pollution
un bien
la sécurité
un défi
un espace vert
un lampadaire
l'écologie
un gratte-ciel
une tour

• Adjectifs
urbain(e)
large
automatique
piéton / piétonne

• Verbes
dominer
quitter (un lieu, une personne)
s'installer
s'entraider
vivre en harmonie
avoir accès à
déposer
(se) développer

• Manières de dire
faire attention les uns aux autres
à taille humaine

Écouter

• Écoutez le document 1 p. 22 et répondez aux questions.

a. Pour 47 % des Français, l'idéal, c'est une ville de combien d'habitants ?

b. Ce qui est le plus important dans une ville pour les Français, c'est :
- ❒ se déplacer facilement
- ❒ avoir des commerces variés
- ❒ pouvoir faire de nombreuses activités culturelles

c. Pour les Français, quels sont les problèmes liés à la ville et qu'ils détestent ? Citez-en trois.

d. Dans le futur, les gens vont-ils partir vivre à la campagne ? Justifiez votre réponse.

Communiquer

Selon vous, qu'est-ce qui est le plus important dans une ville ? Choisissez les trois critères les plus importants pour vous et dites pourquoi. Comparez avec votre voisin(e).
La taille – la proximité des commerces – la diversité des commerces – la diversité des activités culturelles – les facilités de déplacement – la proximité des écoles – la sécurité.

Comprendre

• Lisez le document 2 p. 22. Des internautes ont laissé des commentaires sur un forum de discussion sur Internet. Complétez le tableau comme dans l'exemple.

	Commerces / loisirs	Habitants	Déplacements	Logement	Environnement	Autre
Exemple : *Audrey*	*Magasins gratuits*	–	–	*Maisons en gâteau au chocolat*	*Lampadaires en sucre*	*Pas d'argent*
Léonie						
Bastien						
Diana						
Killian						
Farida						
Gustanly						

Écrire

À votre avis, quels sont les points positifs, les aspects agréables de cette ville peinte par Philippe Cognée ? Quels sont les points négatifs, les problèmes qu'on y rencontre au quotidien ? Rédigez deux paragraphes.

Philippe Cognée

Je prononce

• Écoutez. Entendez-vous le son [ɑ̃], le son [ɔ̃] ou le son [ɛ̃] ?

	Exemple	1	2	3	4	5	6	7	8	9	10
ɑ̃	x										
ɔ̃											
ɛ̃											

J'apprends et je m'entraîne

Grammaire

Le conditionnel présent

Formation	Emploi
Radical du verbe au futur + terminaisons de l'imparfait Ex. : le verbe *aller*	Le conditionnel présent permet d'exprimer un idéal, d'imaginer un futur irréel. Ex. : *Dans ma ville idéale, les habitants* ***vivraient*** *dans des gratte-ciel avec de grands jardins à tous les étages.*

Futur	Imparfait	Conditionnel présent
*j'**ir**ai*	*j'all**ais***	*j'**irais***
*tu **ir**as*	*tu all**ais***	*tu **irais***
*il **ir**a*	*il all**ait***	*il **irait***
*nous **ir**ons*	*nous all**ions***	*nous **irions***
*vous **ir**ez*	*vous all**iez***	*vous **iriez***
*ils **ir**ont*	*ils all**aient***	*ils **iraient***

Les premiers gratte-ciel à Chicago

1 L'histoire de la ville 

Écoutez ces phrases sur l'histoire de la ville. Dans quel ordre entendez-vous les mots ci-dessous ?

agglomérations	
les gratte-ciel	
espaces verts	
augmente	
les moyens de transport	
urbains	1
les lampadaires	
les tours	
pollution	
développer	

Le premier métro à Londres

2 Lilypad, la ville nénuphar

À l'aide de l'image, imaginez la suite de la présentation du projet de l'architecte franco-belge Vincent Callebaut.
Utilisez les expressions suivantes : *se déplacer, accéder, l'eau de pluie, la nature, se développer, trois montagnes, les logements, grande harmonie entre l'homme et la nature, la nourriture.*

Exemple : *Cette ville se déplacerait sur l'eau.*

Ce concept a été pensé pour répondre au problème de surpopulation dans le monde et pour accueillir les réfugiés climatiques qui pourraient voir disparaître leur pays à cause de la montée des eaux. D'une capacité de 50 000 habitants, tous les déchets y seraient recyclés et la ville serait autonome en énergie.

3 La ville intelligente

Chaque année, une ville du monde obtient le titre de « ville intelligente », selon 6 critères. Décrivez la ville qui, selon vous, serait sûre de gagner ce concours. Justifiez chaque critère.

Exemple : *Dans cette ville, les déplacements seraient intelligents. Les gens se déplaceraient seulement avec des voitures électriques qui ne polluent pas.*

Les 6 critères de la ville intelligente :
- des déplacements intelligents
- une économie intelligente
- un environnement intelligent
- des habitants intelligents
- un mode de vie intelligent
- une administration intelligente

4 Votre ville idéale

Demandez aux autres élèves de la classe comment serait leur ville idéale. Posez des questions en vous aidant des images.

La ville et ses clichés

Je comprends et je communique

1 Paris et New York

2 Illustrations

A. Ville Lumière, *the city of lights*
Big Apple, la grosse pomme

C. Taxi ?
Taxi !

B. Pierre de taille
Brick

Vocabulaire 

• Noms
le romantisme
la culture
le luxe
une bousculade
un cliché
un building
un taxi
un joggeur
une boutique
une comédie musicale
la foule
un graphiste
un éditeur
un auditeur
une conversation

• Adjectifs
bondé(e)
fascinant(e)
illustré(e)

• Verbes
véhiculer (des clichés)
se déplacer
comparer
être attiré par (une ville)
voir le jour

• Mots invariables
à vive allure
à travers

• Manières de dire
la Ville Lumière
la Grosse Pomme
il s'agit de…
se disputer un match amical

Écouter

• Écoutez le document 1 p. 26 et répondez aux questions.

a. Pour les étrangers, que représente la ville de Paris ? Relevez une image positive et une image négative.
b. Quels sont les clichés sur la ville de New York ? Relevez un cliché positif et un cliché négatif.
c. Dans quel but un jeune graphiste français, qui connaît très bien ces deux villes, nous propose un livre illustré où Paris et New York se disputent un match amical ?
d. Comment a-t-il réussi à faire ce livre sans connaître d'éditeur ?
e. Comment a-t-il appris à connaître et à aimer la ville de New York ?

Comprendre

• Observez les illustrations (document 2 p. 26) et dites quelles sont les différences entre Paris et New York.

Exemple :
Illustration A : Paris est surnommé « la Ville Lumière ». Le surnom donné à New York est « la Grosse Pomme ».

 Écrire

Comparez votre ville et Paris. Quelles sont les différences, les ressemblances ? Comparez les bâtiments, les lieux touristiques, la forme de la ville, le bruit, etc.

 Communiquer

Répartissez-vous en deux groupes. Choisissez une ville / un pays ou les habitants d'une ville / d'un pays. Un groupe fait la liste des clichés positifs, l'autre groupe fait la liste des clichés négatifs. Expliquez les raisons de ces clichés, puis échangez avec l'autre groupe.

 Je prononce 

a. Écoutez et répétez.

Le son [d]	**Le son [t]**
mode	romantisme
bondé	culture
bousculade	capitale
grande	taxi
comédie	sortir
deux	match
idée	question
différence	tard
	contacté

b. Quels sons entendez-vous ? D'abord [t] puis [d] ou le contraire ?

	1	2	3	4	5
[t] / [d]					
[d] / [t]	X				

J'APPRENDS ET JE M'ENTRAÎNE

Grammaire

Le discours rapporté au présent

• Les temps utilisés

On doit respecter les temps de la phrase au discours direct quand les verbes introducteurs sont au présent.
Ex. : « *Paris **est** la ville de l'amour.* »
→ *On dit que Paris **est** la ville de l'amour.*

Ex. : « *Vous **êtes parti** à New York pour tenter votre chance.* »
→ *On dit que vous **êtes parti** à New York pour tenter votre chance.*

*Remarque : quand on rapporte deux idées à partir d'un même verbe introducteur, on doit répéter **que**.*
*Ex. : On dit **que** vous êtes parti à New York pour tenter votre chance **et que** vous pensiez rencontrer un éditeur sur place.*

• Les verbes introducteurs

– Pour rapporter les paroles de quelqu'un : *dire ; demander*
– Pour demander de manière indirecte : *J'aimerais savoir ; Je voudrais savoir*

• Les changements pour les mots interrogatifs

– ***est-ce que** → **si / s'***
Ex. : « ***Est-ce que** ce livre a vraiment vu le jour grâce à votre blog ?* »
→ *Alex demande **si** ce livre a vraiment vu le jour grâce à votre blog.*

– ***qu'est-ce que (quoi)** → **ce que / ce qu'***
Ex. : « ***Qu'est-ce que** vous pensez de la ville de New York ?* »
→ *Elle voudrait savoir **ce que** vous pensez de la ville de New York.*
Remarque : il n'y a pas de changement pour les autres mots interrogatifs.
Ex. : « ***Comment** vous est venue l'idée de comparer ces deux villes ?* »
→ *On aimerait savoir **comment** vous est venue l'idée de comparer ces deux villes.*

1 Jouez avec les mots

Faites deux groupes. Chaque groupe donne un mot de la liste de vocabulaire p. 27 à l'autre groupe. À tour de rôle, une personne de chaque groupe a une minute pour faire une phrase avec ce mot. Elle lit ensuite sa phrase et l'autre groupe réagit si le mot est mal employé.

Exemple : le groupe 1 donne le mot « building ».
Le groupe 2 écrit : « New York est une ville où il y a de très hauts buildings. »

2 Vivre à Lausanne ?

Écoutez les personnes interrogées parler de la ville de Lausanne, en Suisse. Que disent-elles sur cette ville ?

a. La première personne dit ....
....

b. La deuxième personne dit ....
....

c. La troisième personne dit ....
....

d. La quatrième personne dit ....
....

3 Un tour des villes francophones

Vous allez partir faire un tour de ces villes francophones : Montréal, Marrakech, Marseille et Lausanne. Vous préparez votre voyage. Posez vos questions sur un forum de discussion Internet pour avoir des informations sur ces villes et pour essayer de sortir des clichés. Demandez des renseignements de manière indirecte.

Exemple :
Bonjour,
Je vais bientôt partir au Canada, à Montréal, ce sera l'hiver... Je voudrais savoir ***si*** *c'est vrai que les gens restent enfermés chez eux quand il y a beaucoup de neige et qu'ils ne vont pas travailler. J'aimerais savoir aussi* ***ce qu'****il faut absolument visiter à Montréal. Merci pour vos réponses !*

Montréal, Canada

Marrakech, Maroc

Marseille, France

Lausanne, Suisse

4 Testez vos connaissances sur votre ville ! 

Chaque personne de la classe prépare une question sur votre ville (ou sur la ville où vous vivez actuellement) et écrit sa question sur un petit papier. Mettez les petits papiers en commun. À tour de rôle, chacun tire au sort une question, la lit à la classe en utilisant le discours rapporté et essaie d'y répondre.

Exemples :
« Comment s'appelle le maire de la ville ? »
→ *Une personne de la classe demande comment s'appelle le maire de la ville.*

« Qu'est-ce qui s'est passé d'important dans la ville en 2002 ? »
→ *Une personne de la classe demande ce qui s'est passé d'important dans la ville en 2002.*

Les transports individuels en ville

Vélib' à Paris

Le vélo en libre-service : des noms différents mais un même service !

Prendre un vélo dans une station, le déposer dans une autre, c'est un système de location en libre-service simple à utiliser, disponible 24 heures sur 24 et 7 jours sur 7. Ce service de mobilité permet de faire des déplacements de proximité principalement en milieu urbain.
Et c'est un vrai succès ! On peut louer un vélo en libre-service pour quelques heures, quelques jours ou bien prendre un abonnement à l'année. Le prix varie selon les villes. Par exemple, l'abonnement annuel coûte entre 19 et 30 euros à Paris, 30 euros à Bruxelles et 60 euros à Montréal où la location n'est possible que d'avril à novembre.

Pour en savoir plus sur Vélib' :

Chaque ville a choisi un nom pour ce système de location en libre-service. Par exemple, à Montréal, il s'appelle Bixi. C'est la contraction du mot « bicyclette » et du mot « taxi ». À Paris, « Vélib' » est la contraction des mots « vélo » et « liberté ».

1. Que pensez-vous de ce système de location de vélo ?
2. Quel nom donné à ce système de location de vélo préférez-vous ? Pourquoi ?

Velopass à Lausanne

Bixi à Montréal

V'hello à Aix-en-Provence

Vélivert à Saint-Étienne

Vel'oh au Luxembourg

Et si vous ne voulez pas de vélo, une voiture vous attend...

Les villes qui proposent des vélos en libre-service (Montréal, Bruxelles, Lausanne, etc.) proposent également des voitures en libre-service, pour une location de courte durée : une heure, une soirée, un week-end.

3. Pourriez-vous vivre sans voiture personnelle et utiliser ce système de partage ? Pourquoi ?

Comment savoir où se trouvent les stations ? Comment savoir si des vélos ou des voitures sont disponibles ?

Pour les vélos

Vous pouvez télécharger une application smartphone (gratuite) qui vous indiquera en temps réel où se trouvent les stations, s'il y a des vélos et s'il y a des places de stationnement disponibles.

Pour les voitures

Une application smartphone permet de choisir et de réserver une voiture. Mieux, elle permet même de contrôler le verrouillage et le déverrouillage des portes ! Plus besoin de clé !

4. Ce système de location de voitures existe également entre particuliers. Accepteriez-vous de mettre en location votre voiture ? Pourquoi ?

Compréhension orale

1 Écoutez et répondez aux questions. 

a. Est-ce que Thierry, Inès et Léa se connaissent ?
Justification : ....

b. Thierry est un « Greeter », cela signifie : (2 bonnes réponses)
- ❐ qu'il n'est pas guide professionnel et ne gagne pas d'argent pour ses visites.
- ❐ que c'est un guide professionnel que les touristes doivent payer pour ses visites.
- ❐ qu'il propose une visite de la ville en montrant tous les endroits très touristiques.
- ❐ qu'il propose une visite différente de la ville en montrant des endroits peu visités par les touristes.

c. Quelle qualité faut-il avoir pour devenir *Greeter* ?

....

d. Pourquoi Inès a beaucoup aimé la visite avec un *Greeter* ?

....

Production orale

2 Vous jouez le rôle qui vous est indiqué.

Vous souhaitez louer un vélo en libre-service à l'année. Votre ami(e) qui vous connaît bien pense que vous ne l'utiliserez pas souvent. Vous cherchez à le/la convaincre.
L'examinateur joue le rôle de votre ami(e).

3 Vous dégagez le thème soulevé par le document et vous présentez votre opinion sous la forme d'un exposé personnel de trois minutes environ.

L'examinateur pourra vous poser quelques questions.

Le Web prend enfin le métro

INTERNET sera bientôt disponible partout dans le métro. Paris, Londres et New York y travaillent. Les stations de métro étaient l'un des rares endroits où Internet ne s'était pas développé, en tout cas de manière correcte. Il sera donc bientôt très difficile d'échapper au Web. Mais certains pensent qu'il pourrait y avoir des problèmes. L'arrivée d'Internet dans le métro des grandes villes pourrait provoquer des nuisances sonores, des vols de smartphones, etc. Ces arguments ont du mal à convaincre. Dans les villes qui ont expérimenté Internet dans le métro – Séoul, Chicago, Helsinki ou Mexico –, les retours des utilisateurs sont très positifs.

Compréhension écrite

4 Lisez le texte et répondez aux questions.

TRANSPORTS – Économique, écologique et créateur de lien social, le taxi partagé a tout bon…

L'entreprise Cityzen Mobility, en partenariat avec la compagnie de taxis Alpha Taxis, propose plus de 1 000 taxis partagés dans Paris et sa banlieue.

Alpha Travel, pour les entreprises et les particuliers

Alpha Travel propose un abonnement de 300 € par an pour les entreprises. Il est gratuit pour les particuliers. Vous devez d'abord vous inscrire sur Internet ou par téléphone. Ensuite, vous pouvez réserver un taxi pour la date et l'heure souhaitée. L'usager ne paye pas dans le taxi mais à la fin du mois. La facture est envoyée par mail ou par courrier avec le détail de la course, le prix et l'argent économisé. Selon le nombre de personnes dans la voiture, on économisera plus ou moins. Si la voiture est pleine, c'est-à-dire avec quatre personnes, on paiera 50 % de moins que dans un taxi classique.

Senior Mobilité, pour les personnes âgées

En plus de cette première offre, la jeune entreprise a imaginé une offre spéciale pour les personnes âgées qui sont seules et qui n'ont pas beaucoup d'argent.

Un service pour tous

Mais si Alpha Travel et Senior Mobilité s'adressent à des publics différents, le but n'est pas de séparer les usagers. « Il n'y aura pas des taxis pour les entreprises et les particuliers, d'autres taxis pour les personnes âgées. L'idée, c'est de créer du lien social, donc de rassembler tout le monde dans les véhicules ! »

Pour faciliter le partage de taxi, il existe une application iPhone. Elle permet de savoir s'il y a des personnes autour de soi qui veulent partager une course en taxi.

Enfin, rappelons que le partage de taxi n'est pas une idée nouvelle. Dans beaucoup de pays (Cambodge, Maroc, Burkina Faso, Cameroun, Guinée, etc.), le taxi collectif est utilisé depuis des années.

D'après 20minutes.fr

a. Quels sont les 3 avantages du taxi partagé ?

....

b. L'abonnement au taxi partagé Alpha Travel est payant :
- ❒ pour les entreprises
- ❒ pour les particuliers

c. On peut payer son taxi 50 % moins cher. Pour cela, combien de personnes doivent prendre le même taxi ?

....

d. À qui la jeune société a-t-elle proposé une offre spéciale ?

....

e. Alpha Travel et Senior Mobilité ont des publics différents mais tous ces publics peuvent voyager ensemble dans un taxi.
❒ Vrai ❒ Faux
Justification : ....

f. Grâce à l'application iPhone créée pour faciliter le partage de taxi, qu'est-ce qu'on peut savoir ?

....

g. L'idée de partager un taxi est-elle née en France ? Justifiez votre réponse.

....

Expression écrite

5 Vous écrirez un texte construit et cohérent sur ce sujet.

Quels ont été les changements récents importants dans les villes de votre pays (déplacement, population, construction, stationnement, etc.). Quels changements sont, selon vous, positifs ?
Quels changements sont, selon vous, négatifs ?
(160 à 180 mots)

Bilan actionnel

1 Paris ou Berlin ?

Pour célébrer les 25 ans d'amitié et de coopération entre Paris et Berlin, un concours d'affiches sur le thème « Paris Berlin 25 » a été organisé par les deux villes entre deux écoles d'art.

En petits groupes, imaginez une affiche sur le même modèle (villes au choix).
Présentez-la à la classe en justifiant vos choix.

Exemples :
– *Puisque nous fêtons 25 ans d'amitié, nous avons choisi de mettre le chiffre 25 au centre de l'affiche.*
– *Comme Paris est appelé la Ville Lumière, nous avons choisi de mettre une lampe.*
– *Nous avons choisi un ours pour représenter Berlin car il est le symbole de cette ville.*
– *Grâce à deux fenêtres, nous avons une vue sur la ville de Paris et une autre sur la ville de Berlin.*

Votez ensuite pour la meilleure affiche !

2 La cité idéale ?

La fresque *La Cité idéale de Québec*, de 150 mètres carrés, située sur un mur du lycée professionnel Louis Lumière à Lyon, a été réalisée pour fêter le 400e anniversaire de la ville de Québec. Elle témoigne de l'amitié qui existe entre ces deux villes.

Commentez d'abord cette fresque en groupes : êtes-vous d'accord avec cette représentation de la ville idéale ? Pourquoi ?

Exemple : *Pour moi, la ville idéale ne serait pas une ville sous l'eau parce qu'il faudrait se déplacer en bateau et ce serait beaucoup trop long.*

Réunissez-vous avec les personnes de la classe qui partagent votre avis et rédigez une critique que vous pourrez publier sur un blog ou un réseau social commun à la classe.

3 Vive le graffiti !

Cet immeuble a été repeint par des artistes, à la demande de la ville, pour apporter un peu de couleur à ce quartier.
Vous vivez en face. Vous n'avez pas été informé(e).
Vous n'aimez pas du tout.

Écrivez à la mairie pour demander des explications.
(Demandez de manière indirecte.)
Expliquez également le but de votre courrier.
(Utilisez *afin de /pour*.)

Loisirs, plaisirs

Les plaisirs minuscules

- Évoquer des souvenirs – rédiger un texte à la manière d'une table des matières – écrire un texte descriptif – écrire un texte journalistique – proposer

L'achat plaisir

- Comprendre des titres de journaux – exprimer ses envies – comparer des chiffres – commenter des données statistiques

Le plaisir des papilles

- Critiquer/mettre en valeur – reformuler des propos

Quand loisir rime avec plaisir

- Comparer – argumenter – rédiger un court argumentaire (avantages / inconvénients) – décrire ses loisirs

Les plaisirs minuscules

JE COMPRENDS ET JE COMMUNIQUE

1 Facebook, la crêpe Nutella et autres plaisirs minuscules

Le succès des pages Facebook au contenu dérisoire rappelle celui du livre *La première gorgée de bière* de Philippe Delerm.

Vous aussi, partagez vos plaisirs minuscules !

Les pages Facebook sont pleines de surprises pour les internautes. Pour eux, elles sont aujourd'hui un moyen de partager les petits bonheurs du quotidien. Comme souvent sur Internet, l'usage a été détourné par les utilisateurs qui ont créé des pages qui ne parlent pas que de soi, mais qui parlent de tout et n'importe quoi. On s'y abonne sans vraiment les regarder. Ici, une page sur sa famille, là une autre sur son parfum préféré…

Nous avons essayé de faire un classement des pages francophones comptant le plus d'abonnés, et là, surprise ! dans le top des pages visitées, « Ma famille d'abord » (plus de 3 millions de fans) est une page sur une série télévisée, mais certains y écrivent pour célébrer simplement le bonheur en famille : « La famille, c'est important dans la vie, elle nous entoure de joies, de bonheurs et on peut s'entraider », s'enthousiasme Aline. La page « Mon lit, il est possessif. Le matin, il ne veut pas me laisser partir » regroupe 2 millions et demi de fans. La thématique de la douceur de la couette est abondamment pratiquée sur Facebook avec notamment « Pour tous ceux qui en ont marre de se lever le matin trop tôt » (plus d'un million de fans) ou « Être sous la couette quand il pleut dehors » (1 542 000 fans), une page où l'auteur a fini par mettre son nom. « Crêpe + Nutella » (plus de 2 millions de fans) est classée en 6e position des sites les plus visités. La crêpe Nutella est en fait la reine de Facebook en France puisqu'une autre page similaire, « Crepe nutella », réunit 1 401 000 personnes. En additionnant les deux pages, on atteint 3 383 000 fans. Mmm, il faut dire qu'on en mange des crêpes, en France ! « Nuit Blanche ! » (1 431 000 fans) est faite pour ceux qui n'aiment pas dormir, où qu'ils habitent, à Seattle ou ailleurs… La Vache qui rit (1 516 000 fans) est aussi en bonne position : avez-vous déjà goûté ce fromage à tartiner ? Eh bien, goûtez-le et vous verrez… Enfin, la « grace matinée » * (1 457 000 fans) – avec la faute d'orthographe, l'avez-vous vue ?

Dans ce top 10, seules quelques pages sont tenues par des professionnels. Le succès des pages amateurs s'explique par le fait que chaque commentaire posté sur ces pages apparaît dans le fil d'actualités Facebook de tous les abonnés, ce qui permet de toucher un public très large.

Comment expliquer le succès de ces pages aux intitulés dérisoires ? On pourrait y voir une façon – pour les jeunes adultes notamment— de composer son identité à partir de petits fragments de sa vie, comme on remplit les cases « musiques » ou « films » préférés sur son profil Facebook.

* L'expression « faire la grasse matinée » signifie « rester tard dans son lit le matin ».

2 Plaisirs minuscules ou minuscules plaisirs ? 

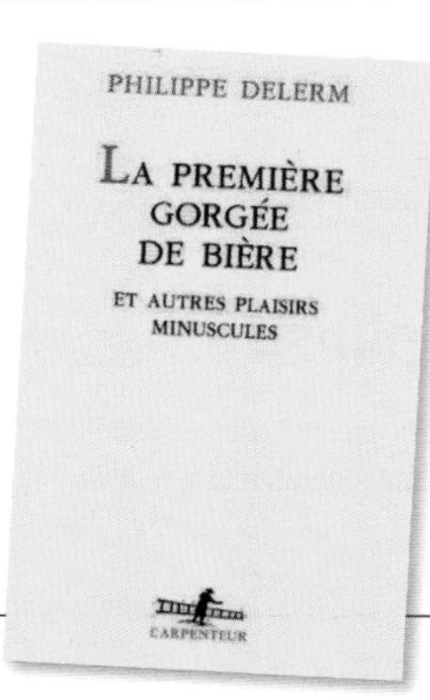

Vocabulaire

• Noms
un classement
un abonné
une thématique (un thème)
une couette
un amateur
un fragment
une gorgée
la mousse
une tartine
un public
un contenu
un internaute
l'audience
du fromage à tartiner
un intitulé
la douceur
le plateau-repas
la cantine
le quatre-heures

• Adjectifs
ridicule
minuscule : dérisoire
amateur ≠ professionnel
possessif / possessive

• Verbes
réserver
détourner
célébrer
s'entourer
opposer
tremper
s'enthousiasmer
tenter
tenir
cumuler

• Manières de dire
en avoir marre de (quelque chose /quelqu'un)
c'est du luxe !
c'est génial
la madeleine de Proust
partir du bon pied
c'est bon signe ≠ c'est mauvais signe
il en faut ≠ il n'en faut pas beaucoup
des petits riens
bien au chaud
monsieur et madame
tout le monde
en 6e / en bonne position
réserver des surprises
aller plus loin que

Communiquer

Lisez la table des matières du livre de Philippe Delerm, *C'est toujours bien*.

« La vie est pleine de petits bonheurs, de petits moments forts, doux ou légers, à savourer pour de vrai et à retrouver entre les lignes. C'est toujours bien. »

- Voyager sur un planisphère
- Déballer un CD
- Plonger dans un pot de confiture
- Sentir Noël
- Faire un volcan de purée
- Faire un canard*
- Aller au cinéma
- Choisir un parfum de glace
- Parler sous les étoiles
- Dormir dans le jardin
- Surtout, ne rien faire

[…]

* Tremper un morceau de sucre dans un café et le laisser fondre dans sa bouche.

a. À votre tour, faites la liste de vos petits plaisirs simples et mettez-la en commun avec votre voisin(e).
b. Ces plaisirs ressemblent-ils à ceux de vos voisin(e)s ?
c. Présentez vos réponses à la classe.

Comprendre

• Lisez le document 1 p. 37 et répondez aux questions.
a. Qui sont les internautes qui créent ces pages ?
b. Connaissent-elles un grand succès ?
c. Quelles sont les pages les plus fréquemment visitées ?

Écouter

1. Écoutez une première fois le document 2 p. 36. Relevez les petits plaisirs des personnes interrogées dans la liste suivante.
a. Penser à ceux qui sont malades
b. Le café du matin
c. Mettre la table
d. De la mousse dans son bain
e. Manger une madeleine

2. Écoutez une deuxième fois le document 2 p. 36 et complétez vos réponses.

	Plaisirs
Personne 1	....
Personne 2	....
Personne 3	....
Personne 4	....
Personne 5	....
Personne 6	....

Écrire

À chacun ses plaisirs !
À la manière de l'écrivain Philippe Delerm, choisissez dans la table des matières (« Communiquer ») un titre que vous allez développer. Rédigez votre texte.

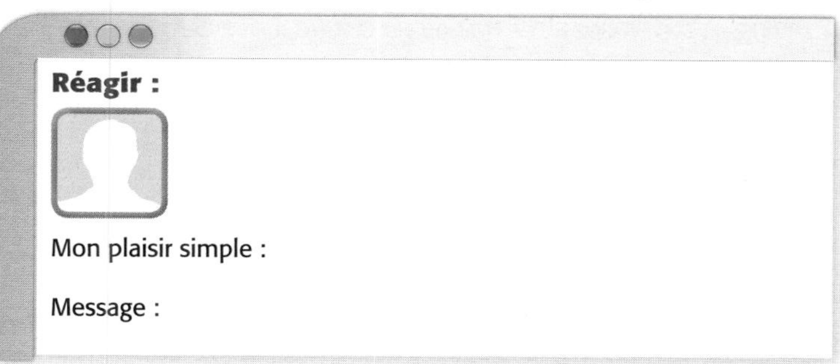

Je prononce

• Les sons [i] et [y]
Lèvres écartés, prononcez bien les sons [i] : plaisir – aujourd'hui – partir – matinée – position – la Vache qui rit
Lèvres arrondies, prononcez distinctement les sons [y] : C'est du luxe – une page sur soi – un public – cumuler – c'est sûr ! – occuper
Attention à l'alternance des sons : intitulés – minuscules plaisirs – l'actualité – un contenu dérisoire – une citation – plus ridicule

J'APPRENDS ET JE M'ENTRAÎNE

Grammaire

• **Les pronoms personnels : emploi et accord**
Le pronom personnel remplace un nom ou un groupe nominal en indiquant la personne qui parle, à qui l'on parle ou dont on parle. Il varie selon la **personne** (*je, tu*...), le **genre** (féminin / masculin : *il, elle*) et le **nombre** (singulier / pluriel : *il, ils*), mais aussi suivant sa fonction (sujet / complément : *je / me*). Il faut donc bien **identifier l'élément qu'il remplace** (son genre, sa personne, son nombre, sa fonction).
Remarque : *le, la, les* sont des articles lorsqu'ils précèdent un nom, mais ils sont des pronoms lorsqu'ils accompagnent un verbe.
Ex. : *Il est bon élève, espérons qu'il* ***le*** *reste.* (pronom)

• **La place des pronoms personnels**
Les pronoms personnels se placent devant le verbe conjugué (pronom personnel sujet + pronom personnel COD + verbe).
Ex. : *On* ***en*** *mange* (des crêpes).
Ex. : *Ils* ***la*** *passent au lit* (la matinée).

⚠ Lorsque le verbe est à l'impératif, la place des pronoms personnels change selon que l'on utilise la forme affirmative ou négative.
Ex. : *Donnez-****moi*** *une tartine et je suis une femme heureuse.*
Ex. : *Ne* ***me*** *donnez pas de tartine.*
Ex. : *Goûtez-****le*** *et vous verrez.*
Ex. : *Ne* ***le*** *goûtez pas.*
Lorsque le verbe est complété par deux pronoms, l'un COD, l'autre COI, ils se placent ainsi :
– si les deux pronoms sont à la troisième personne, l'ordre est COD + COI.
Ex. : *Sa tante* ***la lui*** *offrait avec son thé.*
– si un seul des pronoms est à la troisième personne, l'ordre est COI + COD.
Ex. : *Elle* ***nous les*** *préparait chaque jour.*

→ **Voir Précis grammatical p. 150**

1 À chacun ses goûts !

Répondez aux questions (par oui ou par non), en utilisant le pronom qui convient.

Exemple : *Vous prenez plaisir à rester dans votre lit ?* → *Oui, je prends plaisir à y rester.*

a. Il aime conduire sa voiture ?
....

b. Elles trouvent du plaisir à écrire des blogs ?
....

c. Tu fais un canard avec ton sucre ?
....

d. Vous prendrez bien un peu de bon temps ?
....

e. Il parle souvent de ses petits plaisirs du quotidien ?
....

2 Moi, c'est moi, toi, c'est toi !

Écoutez le dialogue et écrivez les pronoms entendus.

moi – toi – lui – elle – nous – vous – eux – elles

Premier personnage	Deuxième personnage
....	....

3 « Voyager sur un planisphère »

Lisez le texte, puis suivez la consigne.

Je tourne et j'observe mon globe. L'Afrique est bien là, avec ses animaux que l'on devine et ses lacs majestueux, dans les plaines. J'imagine les habitants, je les devine et les entends presque, avec leurs accents et leurs sonorités. Je pourrais pratiquement leur parler... Et là l'Europe. Je la reconnais avec les formes familières qui sont les siennes. Mon esprit voyage vers Rome, puis Vienne. J'ai l'impression d'entendre les valses qui ont bercé mon enfance. Je les connais par cœur, tous ces pays, tous ces continents éclairés qui roulent sous mes mains. Et tous ces gens que je devine, je les sens, je leur parle et pourtant je ne leur ai jamais rendu visite.

a. Soulignez les pronoms personnels sujets du texte.

b. Encadrez les pronoms personnels compléments. Réécrivez les phrases avec les noms qu'ils remplacent.

4 À vous !

Répondez aux questions comme dans l'exemple.

Exemple : *Quand offre-t-on des fleurs ?*
→ *On **en** offre à la Saint-Valentin.*

a. Quand offre-t-on des chocolats ?

....

b. Quand déguste-t-on son café ?

....

c. Quand peut-on faire une grasse matinée ?

....

d. Quand inviter ses amis ?

....

e. Quand voit-on un bon film ?

....

f. Quand pouvons-nous manger une bonne glace ?

....

5 Mon moment préféré de la journée

À partir de cette interview, rédigez l'article du journaliste.

Le journaliste : Pouvez-vous me dire, Théo, quels étaient vos petits plaisirs quand vous étiez enfant ?

Théo : Eh bien, Koko était une perruche que j'avais quand j'étais gamin. Tous les matins, au moment de prendre mon petit déjeuner, elle me réveillait par des cris stridents. Mon père détestait cela. Il m'aidait à lui donner à manger et à boire, mais pour le reste, elle ne connaissait que moi. Donc, tous les matins, il était impossible de déjeuner sans la prendre sur mon épaule. C'était un passage obligé, elle attendait que je la prenne et lui fasse des caresses. C'était mon premier petit plaisir de la journée. Aujourd'hui j'ai encore des animaux à la maison et les moments qu'ils partagent avec nous sont toujours un plaisir.

Exemple : *J'ai interrogé Théo pour qu'il me dise quels étaient ses petits plaisirs quand il était enfant. Koko était ...*

6 Créer une page Facebook « Mon plaisir à moi »

À la manière des pages Facebook du document 1 p. 36, proposez un thème dérisoire mais partagé par un grand nombre de personnes dans votre pays.

L'achat plaisir

JE COMPRENDS ET JE COMMUNIQUE

1 J'achète donc je suis

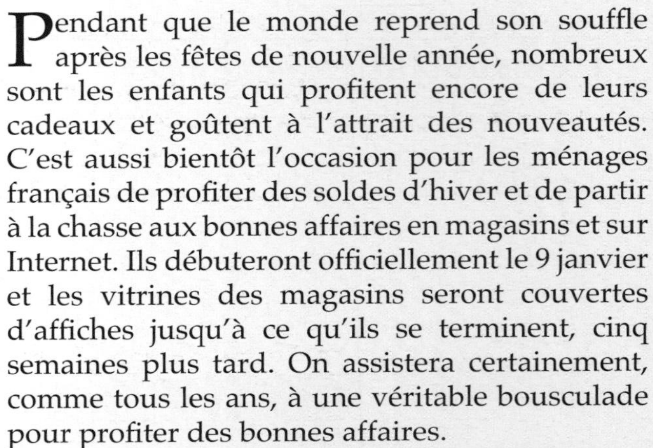

Pendant que le monde reprend son souffle après les fêtes de nouvelle année, nombreux sont les enfants qui profitent encore de leurs cadeaux et goûtent à l'attrait des nouveautés. C'est aussi bientôt l'occasion pour les ménages français de profiter des soldes d'hiver et de partir à la chasse aux bonnes affaires en magasins et sur Internet. Ils débuteront officiellement le 9 janvier et les vitrines des magasins seront couvertes d'affiches jusqu'à ce qu'ils se terminent, cinq semaines plus tard. On assistera certainement, comme tous les ans, à une véritable bousculade pour profiter des bonnes affaires.
Si la période après les fêtes de fin d'année est plutôt morose, les tarifs très attractifs des soldes encouragent les foyers français à mettre la main à la poche, souvent pour améliorer leur quotidien, mais le plus souvent par plaisir, pour soi ou pour son entourage.
Dès que les magasins remontent leurs stores, c'est la cohue dans les allées et rayons de tous les commerces. À chacun sa méthode. Certains ont déjà en tête les produits qu'ils souhaitent acquérir et filent, tête baissée, à la recherche de l'objet de leur convoitise. D'autres prendront plutôt le temps de flâner, en quête d'une bonne trouvaille. Lorsque le client avisé déniche finalement la bonne affaire, le parcours du combattant n'est pas terminé pour autant. Une fois que le client est arrivé à la caisse, il doit prendre son mal en patience.
Le client est alors confronté à un choix vieux comme le monde : céder à son envie tout de suite ou patienter dans l'espoir de trouver un prix plus intéressant ailleurs. Ces soldes permettent aux magasins de vider leurs stocks. Mais c'est une course contre la montre ! D'autres acheteurs peuvent se montrer plus rapides que vous et prendre le dernier article que vous souhaitiez pendant que vous réfléchissez.
La grande nouveauté, ce sont les soldes… sur Internet. Plus de foule, plus de queue, on se fait plaisir sans quitter la maison. Internet présente en effet des tarifs bien souvent plus abordables encore que les magasins.

2 Quand soldes riment avec plaisir… 

Vocabulaire

• Noms
les soldes (masculin pluriel)
un espoir
une queue
un souffle
une chasse
une vitrine
un centre commercial
une cohue
un stock
un consommateur/
une consommatrice
un attrait

• Adjectifs
abordable
limité(e)
attractif / attractive
avisé(e)
sondé(e)
dynamique

• Verbes
confronter
vider
brader
patienter
dénicher
bousculer
flâner
dénicher
représenter
renoncer à
démarrer
consacrer
acquérir

• Manières de dire
vieux comme le monde
mettre la main à la poche
filer tête baissée
un parcours du combattant
les bons plans
revenir en force
en augmentation
prendre son mal en patience
en stock
reprendre son souffle

! Comprendre

• Lisez le document 1 p. 40 et répondez par vrai ou faux.

	Vrai	Faux
a. Les soldes commencent à Noël.	❐	❐
b. C'est plus avantageux d'acheter dans les magasins que sur Internet.	❐	❐
c. Les affiches des soldes disparaîtront le 9 janvier.	❐	❐
d. Les gens font la queue devant les magasins lorsque les stores se ferment.	❐	❐
e. Si vous prenez le temps de réfléchir, d'autres acheteurs peuvent être plus rapides que vous.	❐	❐

Écouter

1. Écoutez le document 2 p. 40, puis répondez aux questions suivantes.

a. Les soldes débutent-ils à la même date que l'année précédente ?
b. Qu'est-ce que l'achat plaisir ?
c. Quels produits bénéficient moins de l'effet soldes ?
d. Qui seront les grands bénéficiaires des soldes ?

2. Entourez les phrases exactes.

a. Les Français dépensent 259 euros en moyenne pour des achats de vêtements.
b. Durant ces cinq semaines, on fait ses achats en fonction de ses besoins.
c. En raison de la crise, cette année les Français dépenseront moins d'argent que l'an dernier pour les soldes.
d. Les vêtements sont les « stars » de cette période.

Communiquer

Les touristes étrangers vont doper les soldes

Coup d'envoi des soldes. Cette année, de nombreux touristes étrangers profiteront de la faiblesse de l'euro pour faire de bonnes affaires.

Le Figaro

1. Êtes-vous déjà venu(e) en France pour faire des achats ?
2. Quels sont les biens de consommation que vous privilégiez ?
3. Quel a été le montant de votre dernier achat plaisir ? Était-ce bien raisonnable ?

Écrire

Répondez à cette internaute et décrivez votre dernier achat plaisir.

MERCREDI 14 AVRIL ***Le Blog de Clémence***
Petit achat plaisir
En promenade à Lyon hier, je me suis fait un petit plaisir : l'achat de boucles d'oreille (des petites roses couleur ivoire) pour les assortir à mon collier romantique rapporté de Manchester...
Commentaires : À vous :

Je prononce

• Les sons [ɔ̃], [ɛ̃] et [ɑ̃]

a. Écoutez, puis classez les mots entendus en fonction des voyelles nasales qu'elles contiennent.

[ɑ̃]	[ɔ̃]	[ɛ̃]

b. Écoutez et répétez. Distinguez bien les voyelles nasales.

J'APPRENDS ET JE M'ENTRAÎNE

Grammaire

Les rapports d'antériorité, de simultanéité et de postériorité

Pour situer deux événements l'un par rapport à l'autre, on distingue trois rapports de temps, l'antériorité : **avant**, la simultanéité : **pendant** ou la postériorité : **après**.

 Quand on exprime une antériorité, l'expression utilisée est suivie du subjonctif.

L'antériorité	La simultanéité	La postériorité
avant que - jusqu'à ce que - tant que Ex. : ***Avant qu'****il ne soit trop tard, on profite des soldes.* Ex. : *Elle fait les soldes* ***jusqu'à ce qu'****elle ait* (subjonctif) *dépensé tout son argent.* (L'action « faire les soldes » se situe avant « dépenser tout son argent », elle dure jusqu'à ce qu'il n'y ait plus d'argent.)	**en même temps que - pendant que - tandis que - tant que - aussi longtemps que - chaque fois que** Ex. : ***Aussi longtemps que*** *les soldes durent, les clients en profitent.* Ex. : *D'autres clients peuvent prendre le dernier article* ***pendant que*** *vous réfléchissez.* (« Les autres clients prennent le dernier article » et « vous réfléchissez » : les deux actions se passent en même temps.)	**après que - une fois que - depuis que - dès que** Ex. : ***Dès que*** *les stores remontent, c'est la cohue.* Ex. : ***Une fois que*** *le client est arrivé à la caisse, il doit prendre son mal en patience.* (L'action « il prend son mal en patience » se passe après l'action « le client est arrivé à la caisse ».)

→ Précis grammatical, p. 146

1 Le bon temps

Soulignez les conjonctions de temps et mettez les verbes au temps qui convient.

a. Je ferai les soldes demain pendant que les enfants (*être*) .... à l'école.

b. Au moment où je (*se décider*) ...., un autre client s'était rué sur le manteau dont je rêvais.

c. Une amie chinoise viendra à Paris pendant que je (*être*) .... en vacances.

d. Chaque fois que l'on (*parler*) .... d'achats avec mon mari, on se dispute.

e. Pendant que les clients (*se bousculer*) ...., le commercial annonce 30 % de remise supplémentaire sur l'électroménager.

2 Consommation ou consolation ?

Lisez le texte, puis suivez les consignes.

Dès que la crise se fait sentir, le consommateur cherche des solutions. Une fois que la date des soldes est connue, l'envie de dépenser revient dans les ménages. En attendant que tous les magasins ouvrent leurs portes pour 5 semaines de folie, on fait ses comptes. Dès que le budget sera défini, il faudra faire des choix. « Mais aujourd'hui, lorsque le public doit faire son choix, il n'hésite plus à se priver de certains produits indispensables du quotidien, et s'offre ceux, pas toujours utiles, qui ont une valeur plaisir forte », analyse un consultant. Un achat plaisir est donc un acte calculé et assumé ; renoncer à des besoins pour mieux satisfaire des désirs. Société de consommation ou société de consolation ?

a. Soulignez les conjonctions de temps.

b. Quelles phrases expriment la simultanéité ? l'antériorité ? la postériorité ?

3 Vous êtes journaliste dans votre pays

En mission en France pour couvrir la période des soldes, vous rédigez un bref article pour votre magazine en vous aidant des chiffres ci-dessous. Vous utiliserez un maximum de conjonctions de temps (*pendant que, dès que*, etc.).

Titre : ....

Chapeau : ....

Article : ....

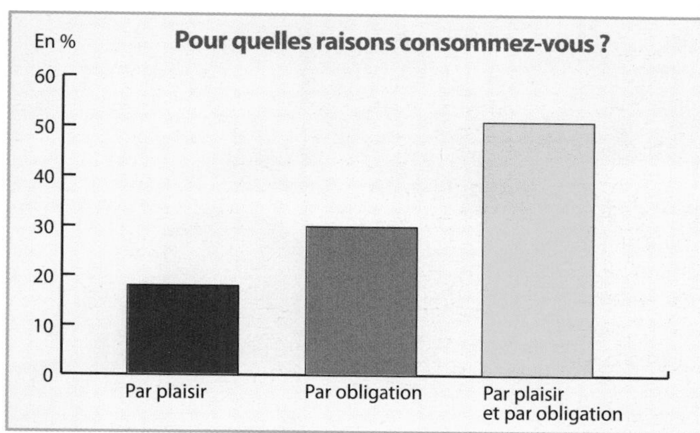

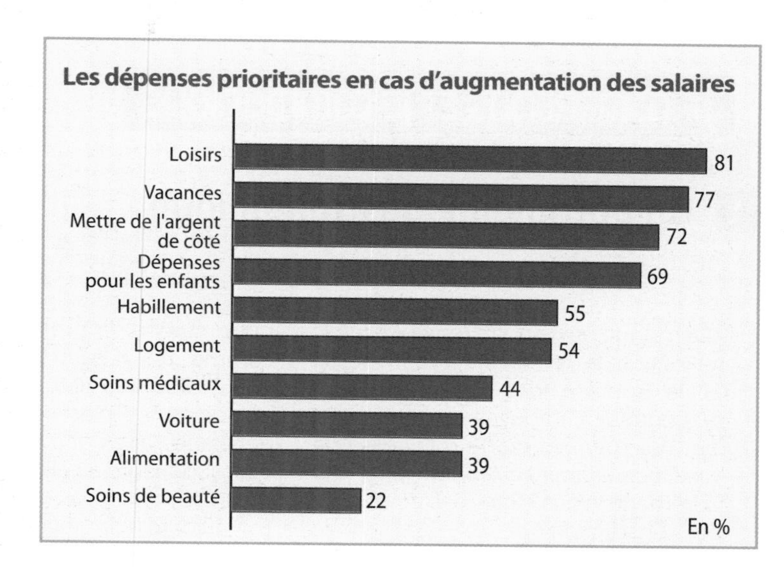

4 Paris en mode « soldes »

Lisez le document, puis répondez aux questions.

Les soldes d'hiver sont devenus[1] à Paris l'occasion d'une grande opération « Soldes by Paris ». Une manière pour la ville de réaffirmer son statut de capitale de la mode.

Prononcez les mots magiques « Paris » et « mode » et aussitôt, partout dans le monde, on vous répondra – et avec beaucoup de points d'exclamation – Dior ! Chanel ! Yves Saint-Laurent ! Sonia Rykiel ! Et tant d'autres encore… Le monde entier reconnaît la place de premier plan de la France dans le domaine de la mode. Mais, à côté de la *Fashion Week* parisienne et de ses défilés, où se bousculent, tous les six mois, les professionnels et autres amateurs de tendances, un autre rendez-vous s'impose depuis quelques années comme un « incontournable » : les soldes du milieu de l'hiver et du début de l'été. Il n'y a pas très longtemps encore, acheter des vêtements ou accessoires en solde pouvait ne pas être bien vu : on ne disait pas à tout le monde que l'on s'était équipé à petit prix. Aujourd'hui, « faire les soldes » est devenu une manière courante de faire ses achats. On se vante même désormais d'avoir pu trouver, avant les autres, la pièce originale qui signera son style, la paire de chaussures rares ou la robe de créateur que, grâce aux remises, on a enfin osé acheter.

Pour les commerçants, les soldes constituent un véritable besoin économique : il s'agit de se débarrasser des stocks, il s'agit aussi de redonner un peu de couleur à une activité commerciale traditionnellement moins forte au lendemain des fêtes. Depuis cinq ans, la Mairie de Paris a fait de cette période des soldes un événement de dimension internationale, comme ce qui se passe à Londres ou à New York. « Soldes by Paris » est une opération à la fois commerciale et touristique, dont l'objectif est d'attirer un public français et étranger dans les boutiques de la capitale. Pour cela, la ville a réuni les hôteliers, les restaurateurs et les grandes marques – jusqu'à 3000 professionnels – pour offrir aux visiteurs des réductions exclusives sur l'hébergement et les loisirs. Les quartiers commerçants s'y associent et organisent des manifestations pour les visiteurs. La période des soldes permet aussi à Paris de donner aux jeunes créateurs l'opportunité de rencontrer un public, qui n'a pas toujours la possibilité d'assister aux défilés des grands couturiers. Au-delà d'une simple opération commerciale, les soldes parisiens sont en passe de devenir un événement touristique dans une ville qui accueille désormais plus de 25 millions de visiteurs par an.

Source : Kidi Bebey *Actualité en France* n° 2, janvier 2011.

1. « Soldes » est bien au masculin pluriel lorsqu'il désigne des marchandises vendues au rabais. (Au féminin, il désigne la rémunération perçue par les fonctionnaires ou les militaires.) Dans la langue courante, beaucoup se trompent et l'utilisent au féminin.

a. Quels sont les atouts d'une telle manifestation ?
b. Cette opération est-elle réservée aux gens riches ? Pourquoi ?
c. Quel slogan auriez-vous choisi pour faire la publicité de « Soldes by Paris » ?

Le plaisir des papilles

JE COMPRENDS ET JE COMMUNIQUE

1 Un patrimoine gastronomique

A
B

« Le monde envie notre repas », écrivait le journal *Le Parisien*. « La richesse et la subtilité de nos plats enfin reconnues ! », pouvait-on lire dans *Le Gourmet magazine*, « L'ivresse de la victoire » titrait *Le Monde*.
Comment ? Vous n'êtes pas au courant de l'inscription de la gastronomie française au patrimoine immatériel de l'humanité ? C'est peut-être parce qu'à l'étranger, personne n'en a parlé... Normal, direz-vous, puisque chacun était bien occupé à fêter la reconnaissance de ses pratiques culturelles respectives (46 que l'UNESCO vient d'inscrire sur cette liste). On s'intéresse toujours davantage aux choses de chez nous. Quoi de plus humain ?

Le Sud, terre de goût

La meilleure cuisine du monde, vraiment ? Personne ne peut nier que notre gastronomie est, aux yeux (et au palais) des étrangers, l'un des attraits de l'Hexagone, autant peut-être que nos monuments. Parce que notre cuisine est une forme de « raffinement », qu'elle a ses principes, ses lois, ses codes, bref, son histoire. Notre Sud est à cet égard une terre de goût et de plaisir, et sa cuisine, pour ne parler que de celle-ci, est d'une richesse et d'une élégance sans pareil : agneau et mouton des Causses, truffe, oie, canard, dinde ; tripes et daubes, cassoulet, fromages de brebis aux mystérieuses moisissures des grottes de Roquefort...

Un plaisir qui s'exporte

Est-ce de la cuisine, est-ce de l'art ? Jadis, Balzac, Flaubert ou encore Maupassant vantaient les vertus de notre cuisine, la présentant – déjà – comme un « patrimoine national ». Entre 1650 et 1700, les Français, tout au moins les plus privilégiés, étaient persuadés que notre façon de manger était supérieure à celle des autres pays d'Europe.
Et aujourd'hui, regardez tous ces restaurants français dans le monde, de Melbourne à Montréal. Regardez tous ces « chefs » français qui brillent hors de France, à New York ou Tokyo.

Un palmarès contesté et contestable

Si la France a été pendant longtemps la championne incontestée de la gastronomie, il y a des années qu'elle a été détrônée en Grande-Bretagne par une nouvelle cuisine. Elle est née du mécontentement provoqué par la trop grande complexité des techniques et des ingrédients de notre bonne vieille cuisine. On fuit la richesse de ses sauces riches, fatales pour les artères, et sa présentation passée de mode. C'est d'abord la cuisine italienne, sa fraîcheur et sa simplicité, puis plus récemment la cuisine espagnole, avec son dynamisme et son inventivité, qui l'ont supplantée dans l'affection des gastronomes. Mais la concurrence est aussi rude côté asiatique. La subtilité des épices et des poissons crus va faire trembler la France. Et regardez aussi ces chefs nés au Japon ou en Argentine qui ont appris leur métier dans l'Hexagone, et qui y ont ouvert leurs propres restaurants... Décidément, rien ni personne ne reste éternellement au sommet – même si on est reconnu par l'UNESCO.

2 La Semaine du goût

Vocabulaire 

• Noms
un avocat
du gingembre
une concurrence
une mode
un privilège
un environnent
une artère
un raffinement
un principe
une loi
un code
un agneau
un palais
un mouton
une truffe
une oie
une dinde
des tripes
une daube
une brebis
une moisissure
une grotte

• Adjectifs
subtil(e)
ivre
frais / fraîche
mystérieux / mystérieuse
inventif / inventive
fatal(e)
rude
respectif / respective
immatériel / immatérielle
contestable
incontesté(e)
privilégié(e)

• Verbes
confectionner
initier
nier
vanter
persuader
contester
détrôner
supplanter
titrer
envier

• Manières de dire
(être) passé de mode
faire des chichis
être au courant
(de quelque chose)
(en) avoir l'eau à la bouche

! Comprendre

1. Regardez l'image A p. 44, puis répondez aux questions.
a. Que vous inspire cette table ? S'agit-il d'un repas ordinaire ?
b. Quels sont les aliments que vous reconnaissez ?

2. Lisez le document 1 p. 44. Choisissez la bonne réponse. Justifiez en citant le texte.

A. La gastronomie française :
a. fait partie du patrimoine de l'UNESCO.
b. est candidate pour figurer au patrimoine immatériel de l'humanité.
c. fête ses 46 ans.

B. La cuisine du Sud de la France :
a. intéresse plus les étrangers que les monuments de l'Hexagone.
b. rend les Français riches et élégants.
c. est très particulière.

C. Les Anglais :
a. apprécient beaucoup la cuisine française parce qu'elle est simple.
b. n'aiment pas la cuisine française parce qu'elle donne mal au ventre.
c. n'apprécient pas beaucoup la cuisine française parce qu'elle est difficile à préparer.

 Écouter

• Écoutez le document 2 p. 44, puis répondez aux questions.
a. Quel est le nom de l'association qui permet aux participants d'apprendre à cuisiner des plats venus d'ailleurs ?
b. Dans quel atelier s'est inscrite la deuxième personne interrogée ?
c. Pourquoi les interviewés apprécient la Semaine du goût de Besançon ? Pourquoi y participent-ils ? Relevez trois raisons.

 Communiquer

Sacré chef !
1. Cuisinez-vous par obligation ou par plaisir ? Pourquoi ? Quelle cuisine étrangère appréciez-vous ?
2. Par petits groupes, choisissez deux plats parmi ceux que vous préférez, et énumérez leurs qualités. Vous présenterez leurs atouts et tenterez de faire deviner au reste de la classe de quel plat il s'agit.
Exemple : *La subtilité de cette soupe en fait la fierté des habitants du Sud de la France, et de Marseille en particulier. La diversité et la richesse des fruits de mer qui la composent la rendent particulièrement riche. On lui ajoute parfois des épices, mais la fraîcheur des poissons que l'on choisit pour la préparer suffisent à eux seuls. De quel plat s'agit-il ?* (La bouillabaisse, une soupe à base de fruits de mer : poissons et crustacés).
3. Quel plat vous a le plus mis l'eau à la bouche ? Votez pour sélectionner votre plat préféré !

Un célèbre guide gastronomique vous demande un article qui vante les qualités d'un plat de votre région. Écrivez cet article.

 Je prononce 

Les sons [e] et [ɛ]

• Le son [e]
Écoutez puis prononcez bien (lèvres écartées) les mots suivants.
la subtilité – l'humanité – un étranger – vous diriez quoi ? – l'élégance – un privilégié – manger – présenter

• Le son [ɛ]
Écoutez et répétez : l'ivresse – la richesse – une terre – fraîche – bref – celle – restaurants français.
Quelles sont les manières d'écrire le son [e] ?
Comment peut s'écrire le son [ɛ] ?

J'APPRENDS ET JE M'ENTRAÎNE

Grammaire

• La nominalisation
Il existe des noms qui sont formés à partir d'un adjectif, d'un verbe ou une proposition complétive introduite par *que*.
Ex. : *On fuit la richesse de ses sauces.*
(adjectif *riche* → *la richesse*).
Ex. : *Sa présentation est passée de mode.*
(verbe *présenter* → *la présentation*)
Ex. : *J'ai conscience de la difficulté de l'exercice.*
(*que l'exercice est difficile* → *la difficulté de l'exercice*)
• Exemples de noms formés à partir de verbes ou d'adjectifs : association (← associer), progression (← progresser), dépassement (← dépasser), vol (← voler), importance (← important)...

• L'expression de la cause
On peut exprimer la cause avec **à cause de**... / **grâce à**... + nom ou avec **car**... / **parce que**... + sujet + verbe conjugué.

• La phrase nominale
La phrase nominale est une phrase construite sans verbe, ce qui met l'accent sur l'essentiel du message : un mot.
Elle provoque un effet de raccourci, d'immédiateté, qui permet de renforcer une idée ou une émotion.
On la trouve surtout dans les titres de presse.
Ex. : La richesse et la subtilité de nos plats enfin reconnues !

→ **Précis grammatical, p. 153**

1 La bonne base

Observez ces noms, puis répondez aux questions suivantes.

une fermeture – un lancement – une abondance – une inauguration – une cuisson – une participation – une bêtise – une formation – une richesse – une force

a. Reconnaissez-vous les verbes à partir desquels certains de ces noms sont formés ?

....

b. Quels sont ceux qui sont formés à partir d'adjectifs ?

....

2 Critique gastronomique

Remplacez l'adjectif entre parenthèses par sa forme nominalisée.

Exemple : *La (poli)* .... *veut que les femmes s'asseyent en premier.* → *politesse*

a. La (*fin*) .... des plats de ce cordon-bleu était d'une grande (*rare*) ....

b. La (*délicat*) .... de ce saumon fumé nous a permis d'apprécier toute sa (*savoureux*) ....

c. Ce que j'aime dans la recette de la mousse au chocolat, c'est sa (*facile*) .... et sa (*simple*) ....

d. Lorsque nous sommes arrivés dans ce fameux restaurant, le maître d'hôtel nous a accueillis avec beaucoup de (*gentil*) .... et de (*grave*) ....

3 Un fruit délicieux

Lisez le texte, puis répondez aux questions.

Je suis une mangue,
J'ai la peau douce
et ma chair est ferme,
légère et savoureuse.
C'est simple :
je suis délicieuse.

a. Soulignez les adjectifs dans le texte.

b. Reformulez le texte pour répondre à la question : « Pourquoi est-elle délicieuse ? » Elle est délicieuse grâce à ....
Quelles transformations avez-vous dû faire ?

....

4 Transformation réussie

Faites une seule phrase en transformant la phrase soulignée en groupe nominal.

Exemple : Alizée est très généreuse : cela la pousse à faire de nombreux cadeaux.
→ Sa générosité la pousse à faire de nombreux cadeaux.

a. Notre voyage a été bref ; cela m'a surpris.
→ ……………………………………………

b. Arthur est un homme franc ; cela le pousse à dire la vérité à ses amis.
→ ……………………………………………

c. Ousama est plutôt maladroit ; cela le gêne beaucoup.
→ ……………………………………………

d. Mathilde est intelligente ; cela lui permet de résoudre des problèmes très difficiles.
→ ……………………………………………

e. Je ne suis pas certain de réussir à l'examen ; cela me fait un peu peur.
→ ……………………………………………

f. Théo est un petit garçon très vif ; cela fait plaisir à ses parents.
→ ……………………………………………

g. Cet étudiant est modeste ; cela l'empêche de se vanter de son excellent travail.
→ ……………………………………………

h. Jessica est désespérée ; cela inquiète ses parents.
→ ……………………………………………

i. Nous ne doutons pas que ton raisonnement soit exact.
→ ……………………………………………

5 La Semaine du goût

Vous téléphonez à l'organisateur de la Semaine du goût et vous lui expliquez pourquoi vous souhaitez un stand. Rédigez avant vos arguments.

6 Mangez mieux, mangez bio ?

Répondez aux questions suivantes.

a. Où pouvez-vous acheter des produits bio dans votre pays ?
……………………………………………
……………………………………………

b. Trouvez-vous normal de payer plus cher des produits non traités ? Pourquoi ?
……………………………………………
……………………………………………

c. Quelles sont les vertus des produits bio ? Rédigez quelques lignes.
……………………………………………
……………………………………………

7 Bonne ou mauvaise critique

Rédigez une critique négative ou positive sur un plat de votre choix.

Nom du plat : ……………………………………………
Critique : ……………………………………………

Quand loisir rime avec plaisir

Je comprends et je communique

1 Maison de quartier, mode d'emploi

La maison de quartier, lieu de loisir et de rencontres

Qu'est-ce qu'une maison de quartier ? Une maison de quartier, c'est un lieu de vie. C'est une association ouverte à tous, avec de nombreuses activités, de sorte que tout le monde peut y trouver son compte.
Elle respecte les idées et les principes de laïcité et favorise le maintien des liens sociaux dans la communauté ; elle est aussi un lieu de rencontres, un espace de convivialité.
Elle offre aux jeunes comme aux adultes la possibilité de prendre conscience de leurs aptitudes, si bien qu'ils peuvent développer leur personnalité, leurs talents.
Sa vocation consiste ainsi à favoriser l'épanouissement et la prise de responsabilité du public qu'elle accueille, à travers les activités proposées.

Vous y trouverez donc des activités variées de loisirs :
– plus de 60 disciplines dans des domaines aussi divers que les arts plastiques, les arts du spectacle, la danse, les langues vivantes, la musique, les sciences et techniques, le sport ou les techniques artisanales ;
– des clubs : gravure, théâtre, peinture sur porcelaine, photographie, tricot ;
– des conférences et interventions publiques ;
– une programmation de spectacles amateurs.
Les activités sont si variées que vous trouverez forcément votre bonheur. Vous aimez le tennis, la cuisine, l'astrologie ou encore la photographie ? Alors rejoignez-nous sans plus attendre !

2 Les loisirs sous toutes leurs formes

Réponses apportées par les Français interrogés sur leurs loisirs

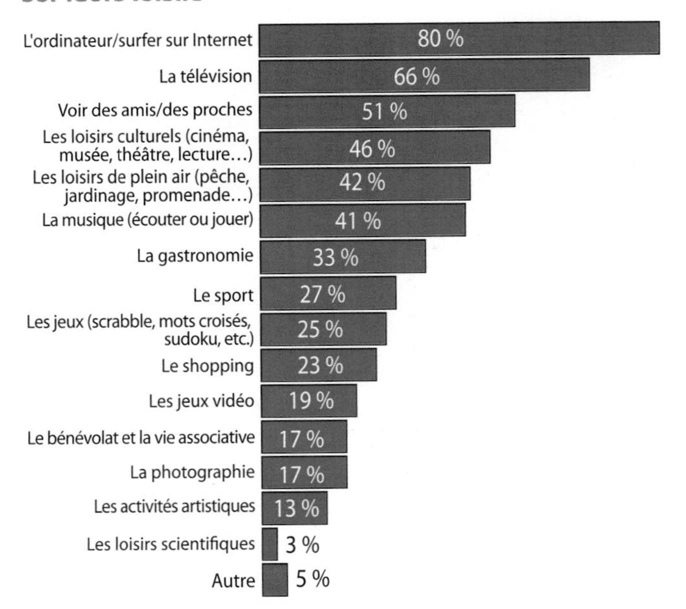

3 Quels sont vos loisirs préférés ? 

4 Le plaisir avant tout !

En famille ou entre amis : le calendrier des manifestations de loisir

Activités	Dates	Site	Descriptif
Découverte des musées	15-22 février	Barcelone	Visite et découverte des principaux musées de la ville
Spectacle historique	20-24 avril	Le Puy du fou (France)	Assistez à un incroyable spectacle vivant qui retrace l'histoire de France
Trekking dans le désert	10-25 septembre	Désert marocain	Pour les amateurs de sport et les amoureux des grands espaces ; nuits sous les tentes et randonnées dans un espace féerique

Vocabulaire 

• Noms
une vocation
un cadet
une reprise
une association
une conscience
une aptitude
une personnalité
la comptabilité
un bouquin
un épanouissement
l'artisanat
la porcelaine
les liens sociaux
la convivialité
la communauté
la laïcité
la gravure
le tricot
la discipline

• Adjectifs
féerique
monotone
épanoui(e)

• Verbes
rompre
récupérer
entretenir
pendre
reprendre
s'apercevoir

• Manières de dire
(y) trouver son compte
métro, boulot, dodo !
prendre conscience (de quelque chose)
être pendu au téléphone
trouver son bonheur
faire bonne impression
se tuer à la tâche (*familier*)
prendre le temps de...

! Comprendre

• Lisez le document 1 p. 48, puis répondez aux questions.

a. Quelle définition pouvez-vous donner de la maison de quartier ?
b. Les maisons de quartier proposent-elles seulement des activités sportives ? Expliquez.
c. Quel rôle joue la maison de quartier ?

Écouter

• Écoutez les témoignages du document 3 p. 48, puis répondez par vrai ou faux.

	Vrai	Faux
1re personne interrogée :		
a. Ses enfants se rendent seuls à leurs activités sportives.	❐	❐
b. Il s'occupe des enfants car sa femme est très occupée.	❐	❐
c. Il se réserve du temps pour lui le dimanche.	❐	❐
2e personne :		
a. Elle a un rythme très soutenu.	❐	❐
b. Elle se repose en pratiquant ses loisirs préférés.	❐	❐
c. Elle fréquente un homme qui fait du sport le matin.	❐	❐
3e personne :		
a. Il est au chômage.	❐	❐
b. Il passe son temps à travailler et n'a pas de temps pour ses loisirs.	❐	❐
c. Avec un groupe d'amis il fait de la musique.	❐	❐

Écrire

La zumba

La zumba, c'est le dernier sport à la mode : un mélange de danses latines et de gymnastique classique. Des rythmes et des danses, mais aussi des exercices de musculation...

La customisation (personnalisation)

« Customiser » revient à personnaliser ou à détourner ce qui existe déjà, notamment les vêtements. Ce phénomène de mode connaît aujourd'hui un réel succès. Nous vous proposons, dans cet atelier, de rendre uniques vos objets Il s'adresse donc à toutes celles et ceux qui ont envie d'exprimer leur personnalité, de montrer leur propre style pour ne ressembler à personne d'autre !

Cours de guitare

Des formations de plusieurs cours collectifs d'une heure (4 ou 5 élèves) avec un style au choix : classique, variété, jazz... Pratique en duo, en trio, etc. pour apprendre à jouer ensemble et se faire plaisir.

1. Vous écrivez à vos collègues de travail pour leur proposer de venir essayer l'un de ces loisirs. Vous argumentez (intérêts, avantages, etc.).
2. Rédigez une annonce pour attirer des participants à votre loisir préféré. Expliquez ce qui le rend unique et ce qu'il peut leur apporter.

Communiquer

1. Observez le document 2 p. 48. Est-ce que les loisirs préférés des Français correspondent aux vôtres ?
2. Observez le document 4. Quelle activité choisiriez-vous ? Pourquoi ?

Je prononce 

• Le son [ɔ]
Écoutez et répétez.

J'APPRENDS ET JE M'ENTRAÎNE

Grammaire

L'expression de la conséquence

1. On peut exprimer la conséquence par des conjonctions :
donc / si bien que... / de sorte que... / au point que / tant [...] que / tellement [...] que / si [...] que / assez [...] pour que / telle, tels, telles [...] que...
Ex. : *Elle offre aux jeunes la possibilité de prendre conscience de leurs aptitudes,* ***si bien qu'****ils peuvent développer leurs talents.*

Remarque : **si** / **tellement** / **tant** (**+ que**) expriment l'intensité.
si donne un caractère intensif à un adjectif ou à un adverbe.
Ex. : *Il est si sportif qu'il passe toutes ses vacances dans des clubs.*
tant donne un caractère quantitatif à un verbe (ou à un nom dans sa construction avec « de » : **tant de**).
Ex. : *Il y a tant d'activités que chacun peut y trouver son compte*
tellement donne un caractère intensif et quantitatif à un adjectif, à un adverbe, un verbe (ou un nom dans sa construction avec « de » / **tellement de**).
Ex. : *Il est tellement sportif qu'il s'inscrit à toutes les activités de sa maison de quartier.*

2. La conséquence peut être introduite par des mots de liaison :
alors / aussi / ainsi / d'où / par conséquent...
alors indique un lien logique fort entre la cause et la conséquence. Il s'utilise surtout à l'oral.
Ex. : *Alors, j'avais l'impression de me tuer à la tâche.*
par conséquent est surtout utilisé à l'écrit.
Ex. : *Vous y trouverez* ***par conséquent*** *des activités variées de loisirs.*

⚠ **D'où** est suivi d'un nom.
Ex. : *Je n'avais plus de temps pour moi, d'où l'idée de quitter mon emploi.*

3. La conséquence peut être marquée par la juxtaposition de deux phrases indépendantes et par la ponctuation
L'expression de la conséquence est alors implicite.

→ **Précis grammatical, p. 151**

1 Dis-moi quels sont tes loisirs, je te dirai qui tu es !

Observez les pictogrammes ci-contre, puis répondez aux questions.

a. Quels sont les loisirs que vous reconnaissez dans ces pictogrammes ? Choisissez ceux qui vous plaisent le plus.

....

b. Par petits groupes, parlez de vos loisirs et découvrez ceux de vos voisins.

....

c. Choisissez parmi ces pictogrammes ceux que vous détournerez pour proposer des activités inédites.
Exemple : *le dressage de hiboux*
Rejoignez notre club de dresseurs de hiboux. Ainsi, vous pourrez découvrir des plaisirs nocturnes inédits. Achetez l'équipement approprié (lampe électrique, filets, lunettes de soleil).

Entraînement au DELF

Compréhension écrite

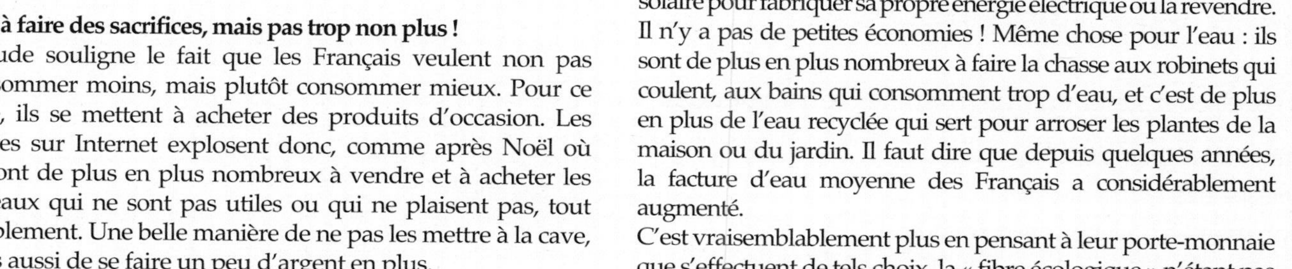

73 % des Français estiment que la crise va durablement changer leur façon de consommer, selon les études réalisées. À l'horizon 2018, les charges imposées ou « contraintes », c'est-à-dire le paiement du loyer, par exemple – dépenses incompressibles comme le sont également les dépenses de santé, de chauffage ou d'électricité – continueront d'augmenter pour représenter près d'un tiers de la consommation des ménages en Europe. Dans le même temps, les dépenses consacrées aux « plaisirs », pour s'offrir loisirs et autres voyages, prendront davantage de place, pour représenter 17 % des dépenses totales. En d'autres termes, c'est sur les autres dépenses que les Français vont choisir de se serrer la ceinture. Faire donc des économies sur les sorties, sur la nourriture, les petits déplacements (le co-voiturage est à la mode) ou les vêtements, mais compenser ou s'offrir durant l'année de bonnes vacances… même si elles sont globalement plus courtes qu'avant.

Prêt à faire des sacrifices, mais pas trop non plus !

L'étude souligne le fait que les Français veulent non pas consommer moins, mais plutôt consommer mieux. Pour ce faire, ils se mettent à acheter des produits d'occasion. Les ventes sur Internet explosent donc, comme après Noël où ils sont de plus en plus nombreux à vendre et à acheter les cadeaux qui ne sont pas utiles ou qui ne plaisent pas, tout simplement. Une belle manière de ne pas les mettre à la cave, mais aussi de se faire un peu d'argent en plus.

39 % des individus interrogés dans cette enquête ont déjà acheté des livres, des CD ou des jeux vidéo d'occasion et 40 % envisagent d'acheter une voiture d'occasion. Côté vendeur, la tendance est appelée à prendre davantage d'ampleur, avec 50 % de la population qui prévoit de vendre des produits culturels d'occasion.
Résultat : les sites qui proposent d'acheter en faisant des enchères connaissent un franc succès.

Quand économie rime avec écologie

Ce sont aussi des aménagements d'économie d'énergie qui sont de plus en plus réalisés par les foyers, comme l'installation d'ampoules électriques basse consommation, l'achat de panneau solaire pour fabriquer sa propre énergie électrique ou la revendre. Il n'y a pas de petites économies ! Même chose pour l'eau : ils sont de plus en plus nombreux à faire la chasse aux robinets qui coulent, aux bains qui consomment trop d'eau, et c'est de plus en plus de l'eau recyclée qui sert pour arroser les plantes de la maison ou du jardin. Il faut dire que depuis quelques années, la facture d'eau moyenne des Français a considérablement augmenté.
C'est vraisemblablement plus en pensant à leur porte-monnaie que s'effectuent de tels choix, la « fibre écologique » n'étant pas encore démontrée.

5 Lisez le document, puis indiquez si les phrases suivantes sont vraies ou fausses.

Citez une phrase du document pour justifier votre réponse.

	Vrai	Faux
a. Les dépenses comme le loyer ou l'eau augmentent.	❒	❒
b. Les Français font la chasse aux dépenses inutiles.	❒	❒
c. Pour faire face à la crise, les Français dépenseront moins dans leurs loisirs.	❒	❒
d. La tradition veut que l'on garde ses cadeaux de Noël.	❒	❒
e. Les cadeaux finissent souvent à la cave.	❒	❒
f. Les Français sont très concernés par les questions d'écologie.	❒	❒

6 En vous aidant du texte, expliquez les expressions suivantes.

a. Se serrer la ceinture : ……………………

b. Prêt à faire des sacrifices mais pas trop : ……………………

c. Avoir « la fibre écologique » : ……………………

7 Répondez aux questions.

a. Sur quoi les Français ont-ils décidé de réduire leurs dépenses ?

……………………

b. Quelles sont les dépenses qui augmentent dans leur budget ?

……………………

c. Donnez quelques exemples qui permettent de faire des économies et en même temps d'avoir une attitude qui respecte l'environnement.

……………………

1 Une publicité

Le plaisir des grands espaces,

La joie et la tranquillité,

La découverte d'une nature encore sauvage,

Le bonheur et la simplicité des habitants,

C'est comme ça chez nous !

www.découvrirlemaroc.com

Sur ce modèle rédigez une publicité pour :
- votre région
- un monument historique
- un produit régional.

....

....

....

2 À l'oral, complétez en imaginant les conséquences.

a. L'hôtel affichait complet, d'où ....

b. La chaleur était écrasante, aussi ....

c. L'avion avait 1 h d'avance, c'est pourquoi ....

d. Le soleil avait brillé toute la journée, de sorte que ....

e. On ne peut plus voyager sans ....

3 Organiser une fête

• En petits groupes, vous allez organiser une fête dans votre établissement, votre quartier ou votre ville.

Scénario :

a. Quelles sont les fêtes qui existent chez vous ? Les fêtes françaises (voir pages « Civilisation » p. 52-53) pourraient-elles s'exporter ? Réfléchissez aux spécificités culturelles de votre pays.

b. Définissez une manifestation festive, son lieu, son public. Puis faites-en la promotion en choisissant un support (article de presse, blog, affiche publicitaire...).

c. Faites vos recherches et rédigez votre texte.

d. Chaque groupe présente sa production. La classe vote pour la meilleure.

e. Organisez la fête.

De l'art au quotidien

LEÇON 9

On a volé *la Joconde* !

- Raconter un fait divers – présenter une œuvre d'art – organiser une exposition

Plaisir de lire

- Exprimer son opinion – exprimer ses doutes et ses certitudes – raconter un livre – participer à un débat

Toute la musique que j'aime

- Parler d'un événement futur – exprimer l'antériorité au futur – faire des projets de sorties – mettre en place une programmation

Sur grand écran

- Structurer son discours – argumenter (1) – faire la critique d'un film

On a volé *la Joconde* !

JE COMPRENDS ET JE COMMUNIQUE

1 L'affaire de la Joconde

C'est le vol le plus audacieux de l'Histoire, qui devient presque une affaire d'État : le 22 août 1911, *la Joconde* a été volée au Louvre. Certains voient dans ce fait divers une merveilleuse histoire d'amour entre un pauvre vitrier italien et la femme la plus célèbre au monde. Parce que son sourire lui rappelle celui d'une amie d'enfance, Vincenzo Peruggia la kidnappe et la séquestre pendant deux ans. L'affaire provoque un véritable scandale national : Guillaume Apollinaire est soupçonné du vol, Picasso serait complice : le poète est mis en prison, mais face à l'indignation qui est provoquée par son arrestation, il est libéré au bout de quelques jours. La presse s'emporte, le directeur du Louvre est renvoyé. Une récompense de 25 000 francs (soit 80 000 euros) est offerte à qui rapportera le tableau. Cet événement contribue à faire de Mona Lisa une héroïne populaire, on fait la queue au Louvre pour admirer l'espace vide, une chanson lui est même dédiée et connaît un vrai succès. Mais l'enquête ne permet pas de retrouver le voleur. Ce n'est que deux ans plus tard, à Florence, que la belle Italienne apparaît à nouveau. Un antiquaire est contacté par le vitrier qui essaie de lui revendre la *Joconde*. Il s'agit bien de la peinture de Léonard De Vinci. Vincenzo Peruggia explique alors que c'est lui qui avait installé la vitrine de protection de la Joconde en 1911. Il justifie son vol en disant avoir voulu ramener la dame au pays. Pour lui, c'est un acte de patriotisme. Il est jugé en Italie. Il est condamné à un an de prison, mais il est libéré au bout de quelques mois, passant aux yeux de beaucoup d'Italiens pour un héros national. Dans un contexte international assez tendu, l'Italie remet *la Joconde* au Louvre. *Mona Lisa* retrouve sa place le 4 janvier 1914.

D'après le site du Point.fr, 21 août 2012.

2 Art et faits divers

La Cathédrale de Rouen, effet de soleil, fin de journée, de Claude Monet, 1892

Femme aux poires, de Pablo Picasso, 1909

Vocabulaire

• Noms
un vol
un vitrier
un scandale
un complice
l'indignation
l'arrestation
la presse
une œuvre
un chef-d'œuvre
une toile
une affaire
une récompense
un héros / une héroïne
un faussaire
un marchand d'art
un collectionneur
une provocation

• Adjectifs
audacieux/se
introuvable
spectaculaire
artistique
inestimable
malhonnête
passionné(e) de (quelque chose)

• Verbes
séquestrer
soupçonner
provoquer
libérer
renvoyer
dédier
justifier
juger
remettre
accuser
condamner
contribuer à (quelque chose)
arnaquer
exploiter
imiter
immortaliser
choquer

• Mots invariables
au point de + verbe à l'infinitif (conséquence)
dans le cadre de...

• Manières de dire
mettre en prison
un acte de patriotisme
aux yeux de...
ce n'est que deux ans plus tard que...
être estimé à...
un talent artistique hors du commun
peindre « à la manière de »

Comprendre

• Lisez le texte 1 p. 58 et répondez aux questions.

1. Quel fait divers est raconté ?
2. Pourquoi Vincenzo Peruggia a-t-il volé *la Joconde* ?
3. Quelles sont les conséquences d'un tel événement ?
4. Qu'arrive-t-il au vitrier italien ?
5. Relevez dans l'article les différentes expressions utilisées pour nommer *la Joconde*.

Écouter

• Écoutez les trois faits divers du document 2 p. 58 et répondez par vrai ou faux aux affirmations suivantes.

	Vrai	Faux
a. Parmi les œuvres volées se trouve une toile de Renoir.	❐	❐
b. Il s'agit du vol de tableaux le plus spectaculaire de ces dernières années.	❐	❐
c. Cinq suspects ont été arrêtés.	❐	❐
d. Les toiles ont été retrouvées.	❐	❐
e. Le faussaire imitait les grands maîtres avec beaucoup de talent.	❐	❐
f. Il faisait souvent des copies exactes.	❐	❐
g. Les collectionneurs étaient malhonnêtes et exploitaient son talent.	❐	❐
h. Il agissait avec une équipe de douze complices.	❐	❐
i. Une statue a été réalisée pour immortaliser le coup de tête de Zidane.	❐	❐
j. La statue a été intégrée à la collection du Centre Pompidou.	❐	❐
k. Certaines personnes ont été choquées par cette statue.	❐	❐
l. Le commissaire de l'exposition présente ses excuses à ceux qui ont été choqués.	❐	❐

Communiquer

Choisissez une œuvre que vous aimez particulièrement. Présentez-la à la classe. Aidez-vous des deux exemples proposés.

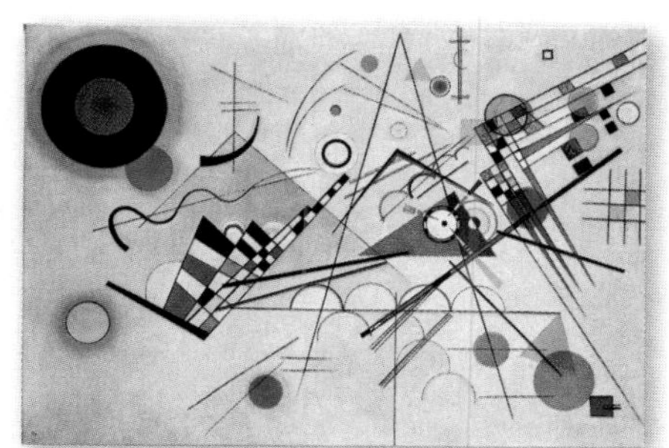

Cette toile s'appelle *Composition n° 8*. Elle a été peinte par Vassily Kandinsky en 1923 et elle est exposée au musée Guggenheim de New York. C'est une peinture abstraite, où les formes géométriques semblent danser dans l'espace. L'art abstrait ou non figuratif a été initié par ce peintre français d'origine russe.

Il y a aussi de l'art contestataire. Lui Bolin, artiste chinois, est connu internationalement pour ses photos de lui-même caché dans divers paysages. Ses photos sont exposées dans les musées du monde entier.

Écrire

À partir des œuvres présentées précédemment, vous organisez une exposition. Décidez du lieu, de la durée, du thème. Écrivez un texte pour présenter cette exposition et donnez-lui un titre.

Je prononce

• [ʀ] en début de mot combiné à une consonne.
Écoutez, puis répétez les mots.

J'APPRENDS ET JE M'ENTRAÎNE

Grammaire 

La forme passive

- Elle est formée du **verbe *être* + participe passé** :
Ex. : *La Joconde a été volée.*
Ex. : *Les toiles n'ont pas été retrouvées.*
Ex. : *Le directeur du Louvre est renvoyé.*
- La forme passive est une transformation de la forme active.
Forme active : *Le vitrier* ***contacte*** *un antiquaire.*
Forme passive : *Un antiquaire* ***est contacté*** *par le vitrier.*
- ***Par*** précède le nom de l'agent, responsable de l'action.
On ne mentionne pas toujours l'agent, souvent parce qu'il est évident.
Ex. : *Trois suspects ont été arrêtés. (par la police)*
- La voix passive met en évidence le sujet passif. C'est pourquoi on retrouve souvent cette forme dans les articles de presse.
- Pour éviter la forme passive, on peut utiliser le sujet **on**, qui ici signifie "quelqu'un".
Ex. : *On a volé* la Joconde → La Joconde *a été volée.*

 Seuls les verbes qui se construisent avec un complément d'objet direct peuvent se mettre au passif.

1 Les mots manquants

Complétez le texte avec les mots suivants :

récompense – retrouvé – soupçonné – chef-d'œuvre – tableau – volé – introuvable – complice – scandale – séquestré – affaire – toile.

Vol en famille

Un .... d'une grande valeur a été .... hier après-midi chez un antiquaire. L'antiquaire qui gardait cette .... chez lui a été .... pendant deux heures. Ce n'est que tard le soir que le pauvre homme a été .... par sa femme attaché à son lit. Un cousin est .... d'être .... de ce vol. L'.................... a provoqué un véritable .... au sein de la famille. Une .... de 20 000 euros est offerte à celui qui le retrouvera. À ce jour, le .... reste ....

2 L'enquête 

a. Par deux, à partir des photos suivantes, imaginez un fait divers. Utilisez les formes du passif pour le raconter.
b. Interrogez un autre groupe sur le fait divers. Formulez des questions (*où, quand, comment, pourquoi, par qui ?*). Puis restituez-le devant la classe.

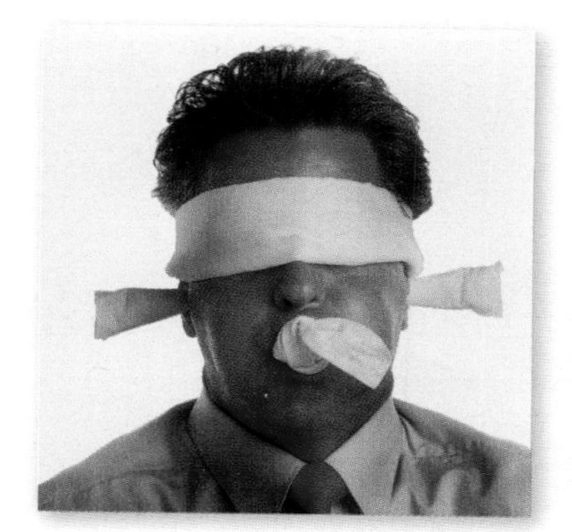

3 Une histoire incroyable

Transformez les phrases soulignées à la voix passive.

La semaine dernière, il m'est arrivé une histoire incroyable. Je sortais de chez moi pour aller au travail quand <u>des policiers m'ont arrêté</u> dans la rue. Ils m'ont expliqué <u>qu'on avait volé un livre d'une grande valeur</u> à la bibliothèque nationale. <u>La police me soupçonnait</u> parce que je vais très souvent à la bibliothèque pour admirer ce bel objet. <u>On avait placé le livre</u> dans une vitrine, mais <u>le voleur l'a cassée</u>. <u>La police m'accusait de ce vol</u>, quelle histoire ! Heureusement, un des policiers a reçu un appel lui annonçant qu'<u>on avait retrouvé le voleur et le livre</u>. <u>Ils m'ont donc libéré</u> aussitôt et m'ont présenté leurs excuses plusieurs fois.

→ *La semaine dernière, il m'est arrivé une histoire incroyable. Je sortais de chez moi pour aller au travail quand <u>j'ai été arrêté</u> dans la rue <u>par des policiers</u>* ....

....

....

4 Votre fait divers

Choisissez un élément de chaque colonne et rédigez un fait divers.

Victimes
Un professeur
Un ami d'enfance
Un antiquaire
Un bijoutier
Un voisin

Moments
En pleine journée
Le 22 juin
Au début de l'année
Au milieu de la nuit
Un soir

Lieux
Dans un parc
Dans une salle de classe
Dans une ruelle étroite
Dans une salle d'exposition
Dans un grand magasin

Objets
Une montre en or
Un téléphone portable
Une toile de maître
Une veste en cuir
Des copies d'examen

....

....

....

....

....

....

Plaisir de lire

JE COMPRENDS ET JE COMMUNIQUE

1 La lecture, à quoi ça sert ?  

2 Mon blog littéraire

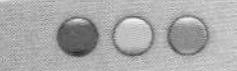

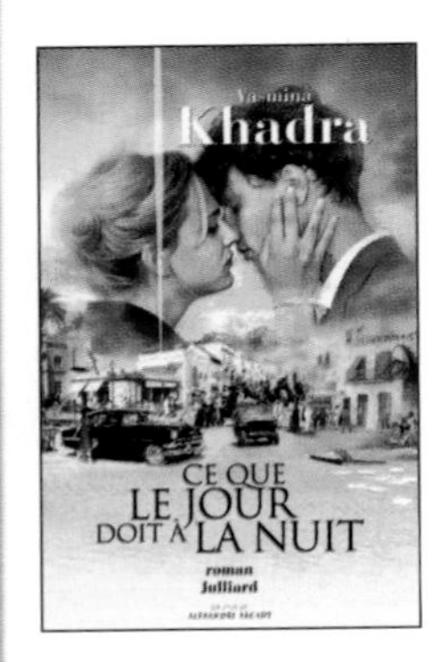

A. *Ce que le jour doit à la nuit*, de Yasmina Khadra

En Algérie, dans les années 30, le jeune Younes va vivre chez son oncle, un notable d'Oran marié à une Française, parce que ses parents sont trop pauvres pour lui offrir une bonne éducation. Rebaptisé Jonas, Younes intègre alors la jeunesse pied-noir de l'Algérie des années 1950. Sur fond de guerre d'Algérie, Yasmina Khadra nous parle de son pays humilié, de la beauté de ses paysages, de personnages profondément humains qui prennent des chemins différents. Je trouve que ce livre décrit très bien les émotions et la complexité d'une Histoire traumatisante pour la France et l'Algérie. Par contre, j'ai vu le film, et je ne pense pas qu'il soit à la hauteur du livre. Trop mélodramatique !

B. *La Malédiction du Lamantin*, de Moussa Konaté

Je suis sûr que ce polar africain va vous plaire ! Le commissaire Habib Keita et son jeune inspecteur Sosso mènent l'enquête autour de la découverte du corps d'un vieux chef et de celui de sa femme sur une île, au bord du fleuve Niger, près de Bamako. Les habitants de l'île sont persuadés que c'est Maa, le dieu du fleuve, qui est à l'origine de leur mort. Mais l'inspecteur n'est pas convaincu que ce soit la bonne explication. Le policier rationnel et éduqué « à l'école des Blancs » va devoir aller à la rencontre des habitants de cette île, des membres de l'ethnie Bozo. Cette intrigue nous fait voyager entre modernité et tradition, et c'est une lecture idéale pour occuper quelques heures d'été. Enfin, les critiques sont élogieuses !

C. *Les Dix Enfants que Madame Ming n'a jamais eus*, d'Éric-Emmanuel Schmitt

Voici encore un joli conte que nous offre Éric-Emmanuel Schmitt. C'est l'histoire de la rencontre entre Madame Ming, qui travaille dans les toilettes d'un grand hôtel et d'un Parisien qui voyage souvent en Chine pour signer des contrats avec des magasins de jouets chinois. Au cours de ses négociations, il aime aller se réfugier dans les toilettes du Grand Hôtel. C'est là qu'il fait la connaissance de Madame Ming, avec qui il commence d'interminables conversations sur la vie, la Chine, et les dix enfants de Madame Ming. Mais croyez-vous vraiment qu'elle soit la mère de dix enfants, au pays de l'enfant unique ? Le mystère reste entier jusqu'aux dernières pages du livre. Je pense que vous apprécierez les paroles de Confucius qui incitent à la réflexion, et que vous serez séduits par le charme et la sympathie de cette mère chinoise. Un tout petit livre (115 pages) pour un grand plaisir.

Vocabulaire

• Noms
une fonction
la mémoire
la lecture
un personnage
la réflexion
un roman policier
un polar (*familier*)
une critique
une intrigue
une bibliothèque
un besoin
un lien
une émotion
la modernité
la tradition
un conte
un notable

• Adjectifs
fantastique
contemporain(e)
superficiel / superficielle
humilié(e)
traumatisant(e)
mélodramatique
rationnel / rationnelle
pied-noir
élogieux / élogieuse
baptisé(e)
rebaptisé(e)

• Verbes
être persuadé
être convaincu
considérer
s'informer
se cultiver
se distraire
se faire plaisir
divertir
conseiller
se réfugier
inciter à
s'évader

• Mots invariables
avant tout
selon vous / selon moi...
en fait

• Manières de dire
c'est un cadeau qui n'a pas de prix !
être à la hauteur de...
être à l'origine de...
passer un bon moment
créer du lien
voici encore un joli conte
le mystère reste entier

Écouter

1. Écoutez le débat sur la lecture (document 1 p. 62) et répondez aux questions.
a. Quelles sont les fonctions de la lecture ?
b. Quels sont les différents types de livres évoqués ?
c. Est-ce que l'invité pense qu'on doit privilégier un type de littérature ? Selon lui, comment choisit-on un livre ?

2. Comparez vos réponses avec celles de votre voisin(e), puis écoutez à nouveau le document pour les compléter.

Communiquer

Vous partez sur une île déserte. Vous pouvez emporter 3 livres. Lesquels emportez-vous et pourquoi ?

Comprendre

• Lisez les trois critiques du blog littéraire p. 62 et complétez le tableau ci-dessous.

	Où ?	Quand ?	Qui ?	Quoi ?
Livre A	En Algérie	....	....	Histoire de l'Algérie et de personnes qui ont vécu cette guerre
Livre B	....	De nos jours	....	....
Livre C	....	....	Mme Ming et un homme d'affaires parisien	....

Écrire

Vous choisissez un livre que vous avez aimé. Rédigez une critique, pour ensuite la lire à la classe. Utilisez les expressions ci-dessous.
C'est un livre qui parle de ...
Il décrit ...
Les personnages sont ....
C'est un roman classique / contemporain / policier ...
C'est une lecture idéale pour l'été / pour se détendre / pour s'informer sur ...
Je vous le conseille parce que ...
Je trouve que ...
Selon moi ...
Selon la critique ...

Je prononce

• [w] / [ɥ]
Écoutez et dites si vous entendez [w] ou [ɥ], puis répétez.

J'apprends et je m'entraîne

Grammaire

L'expression de l'opinion, de la certitude et du doute

- Pour formuler une opinion ou une certitude, on utilise des verbes tels que ***penser, considérer, trouver, croire, être persuadé, être convaincu.***
  Ex. : *Je trouve qu'il faut suivre ses envies.*
- On peut aussi utiliser **la forme impersonnelle.**
  Ex. : *Il me semble que c'est aussi un plaisir à partager.*
  Ex. : *Il est évident que la lecture a une fonction.*
- Remarque : Tous ces verbes sont suivis de l'indicatif.
- Pour formuler un doute ou quelque chose qui n'est pas certain, on utilise ces mêmes verbes, mais à la forme négative et suivis du subjonctif.
  Ex. : *Je ne crois pas qu'il vienne.* (doute)
  Ex. : *Je ne considère pas que la lecture* ***doive*** *être une obligation.* (opinion)
- La forme interrogative avec inversion exige l'utilisation du subjonctif dans la subordonnée qui la suit.
  Ex. : *Mais croyez-vous vraiment qu'elle* ***soit*** *la mère de dix enfants ?*

→ **Précis grammatical, p. 148.**
→ **Tableaux de conjugaison, p. 155-159.**

1 Trouvez le bon mot !

Cherchez dans l'encadré vocabulaire p. 63 un synonyme pour chaque expression suivante. Puis utilisez ce mot dans une phrase.

Exemple : *d'aujourd'hui → contemporain*
Je m'intéresse à l'art contemporain.

a. encourager quelqu'un à faire quelque chose → ....
....
b. une relation ou une connexion → ....
....
c. qui fait beaucoup de compliments → ....
....
d. s'amuser → ....
....
e. qui choque ou qui perturbe → ....
....
f. se mettre en sécurité → ....
....

2 Je ne suis pas d'accord ! 

Écoutez les personnes suivantes et exprimez un avis contraire.

a. ....

b. ....

c. ....

d. ....

3 Qu'en pensez-vous ?

Daniel Pennac, écrivain français contemporain, a écrit un livre de pédagogie active et enthousiaste : *Comme un roman*. Ce livre est certainement lié aux souvenirs de sa propre scolarité, difficile selon lui.

a. Par deux, lisez « Les droits imprescriptibles du lecteur ». Dites ce que vous en pensez. Avez-vous déjà utilisé ces droits ? À quelle occasion ?

Exemple : *Je ne pense pas qu'on puisse sauter des pages dans un livre, on risque alors de ne pas comprendre l'histoire, de perdre le sens et donc l'intérêt pour le livre. Je ne pense pas que ce soit une bonne idée.*

b. Imaginez d'autres droits et échangez avec le reste de la classe.

Les droits imprescriptibles* du lecteur

1. le droit de ne pas lire
2. le droit de sauter des pages
3. le droit de ne pas finir un livre
4. le droit de relire
5. le droit de lire n'importe quoi
6. le droit au bovarysme (maladie textuellement transmissible)
7. le droit de lire n'importe où
8. le droit de grappiller
9. le droit de lire à haute voix
10. le droit de nous taire

Daniel Pennac, *Comme un roman*, © Éditions Gallimard.

* Les droits imprescriptibles : les droits valables de façon illimitée.

4 À vous de débattre !

Par petits groupes, faites un débat autour d'un des sujets proposés ci-contre. Préparez vos arguments et donnez votre point de vue. Utilisez les expressions suivantes :

Je pense que... / Je trouve que... / Selon moi...
Je ne crois pas que... / Je ne considère pas que... / Je ne suis pas sûr(e) que...

- Un roman adapté au cinéma, cela donne souvent un mauvais film.
- La littérature a été inventée pour les gens qui ont du temps.
- La littérature, ça ne s'apprend pas. On l'aime ou on ne l'aime pas.
- Le polar, ça n'est pas de la vraie littérature.

5 À propos d'un livre

Lisez la critique ci-dessous, puis répondez aux questions.

Depuis vingt ans, Amélie Nothomb publie un nouveau roman à chaque rentrée littéraire. Et chaque fois, les critiques se demandent si le livre sera aussi bon que le célèbre *Stupeur et tremblements*, succès récompensé par le Grand prix du roman de l'Académie française en 1999. Que vaut donc ce *Barbe Bleue* paru en 2012 ? Saturnine se demande quel terrible secret se cache dans la chambre noire où son logeur et colocataire lui a interdit d'aller. Comme dans le conte de Perrault, ce personnage épouse ses colocataires et leur interdit de visiter la « chambre noire » où il développe ses photos. Et une à une, elles disparaissent. Saturnine, la dernière arrivée et l'héroïne du livre, finira-t-elle comme les autres ? Réponse en 170 pages qui se lisent, comme toujours, d'un seul coup. On y retrouve un style précis et élégant, des dialogues subtils, efficaces et parfois drôles, et beaucoup de champagne. Je ne pense pas que ce roman obtienne un prix littéraire, et la presse belge n'est pas convaincue que ce soit le meilleur roman d'Amélie Nothomb. En effet, les critiques belges ne pensent pas que ce soit un sujet original. Selon eux, il rappelle trop l'intrigue de *Hygiène de l'assassin*, son tout premier roman. Cependant, cette lecture facile vous fera passer un bon moment.

a. Quelle est l'intrigue du nouveau roman d'Amélie Nothomb ?

....

b. Est-ce que le journaliste pense qu'il sera récompensé par un prix cette année ?

....

c. Quelle est l'opinion de la presse belge sur ce nouveau roman ?

....

Toute la musique que j'aime

Je comprends et je communique

1 Victoires de la musique 2013 : Amadou et Mariam primés

Amadou et Mariam, couple de musiciens et chanteurs maliens, tous deux aveugles, se font connaître au début des années 2000. Ils deviennent alors populaires, gagnent la sympathie du public français et sont couronnés en 2005 par une Victoire de la musique pour l'album *Dimanche à Bamako*, réalisé avec la participation de Manu Chao, grand fan du duo.

Originaires de Bamako, les deux artistes se rencontrent en 1975 à l'Institut des jeunes aveugles de Bamako, où ils jouent dans l'orchestre. Ils forment alors très vite un couple à la scène comme dans la vie et commencent leur carrière musicale dans les années 80. Par la suite, ils connaîtront une longue ascension vers la notoriété internationale. En 2005, le titre *Je pense à toi* deviendra un tube sur les radios françaises et sera vendu à 100 000 exemplaires. Ces musiciens engagés dans des projets pour soutenir l'Afrique, devenus aussi ambassadeurs du World Food Program en 2011, jouent en première partie de concert de grandes stars, comme U2 en Afrique du Sud en 2011.

Leur musique, mélange de rock et de musique malienne, vous fera danser et leurs chansons aux paroles écrites en français et en bambara, vous séduiront immédiatement. Il faut dire qu'ils travaillent depuis longtemps avec d'immenses artistes internationaux (Damon Albarn, Santigold, Bertrand Cantat, TV On The Radio,…). « Ces collaborations ont changé la vision que l'on a de nous. Nous sommes africains, mais notre musique métissée nous a ouvert des portes. Depuis notre album *Welcome to Mali* (2008), nous avons fait des concerts en Scandinavie, en Asie, puis pour l'ouverture de la Coupe du monde… », précise Amadou. C'est cette musique aux formes diverses, ancrée dans les traditions locales mais aussi influencée par une musique pop, rock, blues, voire électro, que l'on retrouve de manière plus évidente sur *Folila*, leur dernier album. Ce disque, enregistré à Paris, à New York et à Bamako, a remporté une Victoire de la musique en février 2013 dans la catégorie « musique du monde ». Quand ils auront fini leur tournée au Brésil et en Argentine, ils se produiront dans plusieurs villes de France à partir du mois d'avril.

2 Festival Africolor

Pour sa 24e édition, le **festival Africolor** présente à nouveau sa meilleure sélection d'artistes venus d'Afrique et des Caraïbes. Il se déroule en novembre prochain pendant deux mois sur différentes scènes de Seine-Saint-Denis et du nord-est parisien. Dès que vous aurez découvert sa programmation, vous n'hésiterez plus à venir faire la fête et à applaudir ces musiciens engagés et talentueux.

Retrouvez toutes les informations du festival sur le site :

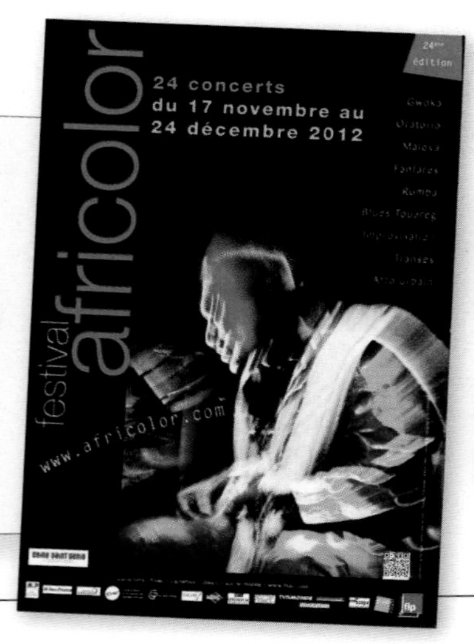

3 Une programmation éclectique

Lou Doillon

Midget

Vocabulaire

• Noms
un album
un(e) artiste
une ascension
une ballade
une collaboration
un duo
un fan
un festival
une mélodie
un morceau
la notoriété
les paroles (d'une chanson)
une programmation
un refrain
une scène
le talent
une tournée
un tube

• Adjectifs
accrocheur / accrocheuse
ancré(e) (dans)
aveugle
dansant(e)
éclectique
engagé(e)
entraînant(e)
mélancolique
planant(e)
prestigieux/prestigieuse
primé(e)
talentueux/talentueuse

• Verbes
applaudir
se dérouler
enregistrer
se faire connaître
influencer
se produire
remporter (un prix)
soutenir

• Mots invariables
voire
par la suite

• Manières de dire
ça nous a ouvert des portes
c'est un vrai bijou
de composition
être bourré de talent
(*familier*)
être couronné par (un prix)
gagner la sympathie de...
il faut dire que...
pour rien au monde
prendre un sacré risque
(*familier*)

Communiquer

Écouter de la musique est la 3e activité culturelle des Français.
Et vous, quel amateur de musique êtes-vous ?
Répondez aux questions suivantes.

a. Quelle place occupe la musique dans votre vie ?
b. À quel moment de la journée en écoutez-vous ? À quelles occasions ?
c. Achetez-vous de la musique ? Sous quelle forme (disque, mp3, en ligne) ?

Interrogez vos voisin(e)s sur leurs goûts musicaux, les artistes qu'ils aiment. Trouvez des étudiants qui partagent vos goûts et vos pratiques musicales.

Écrire

Vous êtes chargé(e) de créer une affiche pour la fête de la Musique et de rédiger un texte pour la promotion de cet événement.

Par deux, choisissez :
– les artistes et le style de musique ;
– le lieu et son cadre (dans quelle ville, dans un café, en plein air ?) ;
– les arguments pour attirer un public nombreux.

Comprendre

1. Lisez le document 1 p. 66, puis notez les événements correspondant aux dates, comme dans l'exemple.

1975	Rencontre d'Amadou et Mariam à Bamako à l'Institut des jeunes aveugles
Années 1980	....
Années 2000	....
2005	....
2011	....
Février 2013	....

2. Lisez le document 2 p. 66. Aimeriez-vous aller à ce festival ? Pourquoi ?

Écouter

1. Écoutez une première fois le document 3 p. 66, puis répondez aux questions.
a. De quel événement parle-t-on ?
b. Combien d'artistes seront présents ?

2. Écoutez à nouveau le document 3 et cochez la bonne réponse comme dans l'exemple.
Validez vos réponses avec votre voisin(e).

	Midget	Lou Doillon	Great Mountain Fire
Leur musique est joyeuse et dansante.			✓
Sa voix est grave et sensuelle.			
C'est une musique idéale pour rêver.			
Elle écrit elle-même ses chansons.			
Ils se connaissent depuis l'enfance.			
Les morceaux sont un peu mélancoliques.			
C'est une actrice.			
Ils chantent de la musique folk.			
Ils sont belges.			

Je prononce

• Écoutez, et répétez. Attention aux enchaînements consonantiques.
Ils forment alors très vite un couple – Une longue ascension – des concerts en Scandinavie – cette musique aux formes diverses – douce et mélodieuse – grâce à ses parents – leur musique a une belle énergie – sur Internet.

J'APPRENDS ET JE M'ENTRAÎNE

Grammaire

- **Parler d'un événement futur**

  Pour parler d'une action ou d'un événement au futur, on peut utiliser :
  - **le présent** (on précise alors le moment dans le futur)
    Ex. : *Le festival* ***se déroule*** *en novembre prochain.*
  - **le futur proche**
    Ex. : *Je* ***vais*** *en* ***parler*** *à Nicolas.*
  - **le futur simple**
    Ex. : *Ils* ***se produiront*** *dans plusieurs villes de France à partir du mois d'avril.*

- **Le futur antérieur**
  - Le futur antérieur permet d'exprimer **une action future antérieure à une autre action future.**
    Ex. : *Dès que vous* ***aurez découvert*** *sa programmation, vous n'****hésiterez*** *plus à venir faire la fête.*
    Ex. : *Une fois qu'ils* ***auront entendu*** *sa voix grave et sensuelle, ils* ***oublieront*** *vite ses parents.*
    Ex. : *Quand tu* ***auras reçu*** *les billets, tu* ***pourras*** *les imprimer ?*
  - Il est formé de l'auxiliaire ***être*** **ou** ***avoir*** **conjugué au futur + participe passé**

J'aurai vu	Je serai arrivé(e)
Tu auras vu	Tu seras arrivé(e)
Il / Elle aura vu	Il / Elle sera arrivé(e)
Nous aurons vu	Nous serons arrivé(e)s
Vous aurez vu	Vous serez arrivé(e)s
Ils / Elles auront vu	Ils / Elles seront arrivé(e)s

→ **Tableaux de conjugaison, p. 155-159.**

1 Demandez le programme !

Écoutez ce reportage radiophonique et restituez les informations en utilisant tous les mots suivants :

se dérouler – applaudir – soutenir – des artistes talentueux – un cadre exceptionnel – une programmation éclectique – des morceaux entraînants – des ballades mélodieuses – la scène francophone

....

....

2 Une journée festive

Voici votre programme de demain :
- se lever
- prendre son petit déjeuner
- regarder le programme des concerts
- choisir un spectacle
- appeler des copains pour leur proposer de venir avec vous
- se retrouver tous chez vous
- aller au concert
- rentrer à la maison
- raconter l'événement sur votre compte Facebook.

Écrivez votre programme en alternant futur simple et futur antérieur, comme dans l'exemple.

Exemple : *Dès que* ***je me serai levé****,* ***je prendrai*** *mon petit déjeuner. Quand* ***j'aurai pris*** *mon petit déjeuner,* ***je regarderai*** *le programme des concerts.*

....

....

3 Que ferez-vous après ? 

Imaginez, sur le modèle de l'activité 2, une liste d'actions pour votre prochain week-end. Puis interrogez votre voisin(e).

Exemple :
– *Qu'est-ce que tu feras le week-end prochain ?*
– *Samedi matin, j'irai faire les courses.*
– *Et quand tu auras fait les courses, qu'est-ce que tu feras ?*
– *Quand j'aurai fait les courses, j'appellerai un ami pour organiser une sortie.*

4 Rêves d'enfant

Complétez les phrases suivantes avec le futur simple ou le futur antérieur.

a. Quand je (*gagner*) .... assez d'argent, je (*prendre*) .... des cours de chant pour devenir un artiste.
b. Quand je (*apprendre*) .... à chanter, je (*participer*) .... à l'émission *La Nouvelle Star*.
c. Quand je (*obtenir*) .... le prix du meilleur chanteur, je (*pouvoir*) .... trouver un producteur pour faire un disque.
d. Quand je (*terminer*) .... d'enregistrer mon disque, je (*faire*) .... des concerts dans plusieurs villes d'Europe.
e. Quand je (*convaincre*) .... des réalisateurs, je (*commencer*) .... une carrière d'acteur de cinéma.

5 Des idées, des projets

Formulez vos propres rêves, sur le modèle de l'activité 4.

Exemple : Quand j'aurai fini mes études, je ferai le tour du monde.

Quand je ....

6 Festivals ! 

Vous organisez un festival de musique. Par deux, choisissez votre programmation et imaginez d'autres événements associés (restauration possible dans la salle de spectacle, exposition de peintures, débat autour de la musique francophone...). Présentez les différentes étapes de la programmation en utilisant le futur simple et le futur antérieur.

Exemple : *Quand vous aurez visité notre exposition de photos, vous pourrez vous installer pour écouter un jeune chanteur. Une fois que vous aurez découvert toutes les activités proposées, vous pourrez prendre un verre au bar.*

Sur grand écran

JE COMPRENDS ET JE COMMUNIQUE

1 Le cinéma résiste face à la multiplication des écrans

Comme on pouvait l'imaginer, entre 1997 et 2008, la consommation culturelle de Français s'est portée vers les nouveaux écrans. L'étude d'Olivier Donnat sur *Les Pratiques culturelles des Français à l'ère du numérique* analyse ces profondes mutations.
En effet, aujourd'hui, 83 % des Français ont un ordinateur à la maison et deux tiers des internautes passent 12 heures par semaine (hors scolarité et travail) sur la toile. Pourtant, la multiplication des écrans à la maison n'incite pas les gens à rester chez eux et n'a donc pas tué les salles de cinéma. Au contraire, l'étude montre que les jeunes qui surfent beaucoup sur Internet continuent de sortir très fréquemment. Ils sont nombreux à regarder en ligne la bande-annnonce des films à l'affiche. En fait, c'est d'abord la télévision qui est la principale victime de cette « culture de l'écran ». En effet, la durée moyenne passée devant la télévision s'est stabilisée pour la première fois depuis l'arrivée des postes de télévision dans les foyers ; et elle a même diminué chez les jeunes.
Par ailleurs, cette enquête confirme que le cinéma reste l'art le plus populaire. Il concerne tous les âges et toutes les classes sociales, même les plus modestes, qui vont aujourd'hui plus souvent au cinéma. D'ailleurs, le grand écran attire plus qu'avant les grands consommateurs de petit écran.
En ce qui concerne les goûts des Français en matière de cinéma, les films comiques restent leur genre préféré, suivi par les films d'action et les policiers. Mais les jeunes préfèrent les séries et les films américains alors que les seniors choisissent plutôt les films français. Ainsi, d'après Olivier Donnat, la part de marché du cinéma français devrait baisser, car il existe un principe selon lequel « on reproduit à 40 ans ce qu'on fait à 20 ans ».
Enfin, ce livre montre aussi que le piratage des films, habitude qui caractérise cette nouvelle culture numérique, ne réduit pas la fréquentation des cinémas, mais a des conséquences sur la location et l'achat de DVD.

2 Tous à Cannes ! 

3 Palme d'or 2012 

Vocabulaire

• Noms
une bande-annonce
un cinéaste
une compétition
un écran (le grand écran ≠ le petit écran)
la fréquentation (des salles de cinéma)
la gloire
un jury
un lauréat
un long-métrage
une mutation
le piratage
une polémique
un réalisateur
les réseaux sociaux
une salle (de cinéma)
un scénario
une vedette

• Adjectifs
comique
commercial(e)
dramatique
médiatisé(e)
puissant(e)
troublant(e)

• Verbes
attirer
attribuer
bouleverser
confier
décerner (un prix)
défiler
obtenir (une récompense)
présider
récompenser
réduire
reprocher
surfer (sur internet)

• Mots invariables
en ce qui concerne ...
notamment
récemment

• Manières de dire
la cérémonie d'ouverture
c'est dû à ...
la culture numérique
un film à l'affiche
en matière de...
il est vrai que...
l'industrie du cinéma
mettre à l'épreuve
la montée des marches
occuper une place majeure
le principe selon lequel...
le septième art
du strass et des paillettes
sur la toile

Comprendre

• Lisez le document 1 p. 70 et répondez par vrai ou faux.

	Vrai	Faux
a. L'augmentation du temps passé devant Internet a pour conséquence une diminution des sorties.	❒	❒
b. Les jeunes regardent moins la télévision.	❒	❒
c. Les classes les plus modestes sont aujourd'hui plus attirées par le grand écran.	❒	❒
d. Les jeunes Français ont une préférence pour les films français.	❒	❒
e. Le piratage des films n'a pas de conséquence sur les entrées au cinéma.	❒	❒

Écouter

1. Écoutez le document 2 p. 70 et cochez les phrases qui sont exactes.
Écoutez à nouveau pour compléter vos réponses et comparez-les avec celles de votre voisin(e).

a. ❒ Ce sont souvent des réalisateurs français qui président le jury du Festival de Cannes.
❒ Steven Spielberg présidera le jury de la prochaine édition du festival.
❒ La cérémonie d'ouverture se déroulera début mai.

b. ❒ Le cinéma français n'a pas obtenu de Palme d'or depuis 1987.
❒ La France est le quatrième pays à avoir obtenu le plus grand nombre de Palmes d'or.
❒ Le Festival de Cannes récompense souvent les films français.

c. ❒ Les grands réalisateurs internationaux sont toujours récompensés à Cannes.
❒ Ce que le public veut, c'est de l'art.
❒ Les décisions du jury sont parfois contestées.

2. Écoutez le document 3 p. 70, puis répondez aux questions suivantes.

a. Est-ce que le film *Amour* a créé une polémique à Cannes ?
b. Est-ce la première fois que Michael Haneke obtient une Palme d'Or ?
c. Quelles récompenses ont été décernées à ce film ?

Communiquer

Recette pour un film

Jean-Luc Godard, célèbre réalisateur français, aussi acteur et critique, a dit :
« *Ce qu'il faut pour faire un film, c'est une arme et une fille* ».

1. D'après vous, quels sont les ingrédients nécessaires pour faire un bon film ? Par deux, faites une liste de ces ingrédients.

2. Trouvez un film qui rassemble ces ingrédients.

3. Mettez en commun vos réponses et échangez.

Écrire

Ma critique

Choisissez un film que vous avez vu récemment et écrivez une critique. Utilisez les expressions suivantes :
C'est un film qui parle de ...
En effet / donc / par ailleurs / pourtant / enfin
Je pense que... / Je trouve que... / Selon la critique...

Je prononce

• Le son [œ]
Écoutez et répétez les expressions.

J'APPRENDS ET JE M'ENTRAÎNE

Grammaire

Construire un discours

Les articulateurs, petits mots de l'argumentation, permettent de mieux structurer son discours, d'organiser ses idées, d'établir des relations logiques entre différents arguments.

- À l'écrit, **en effet** confirme l'argument précédent et le renforce.
Ex. : *C'est Steven Spielberg qui présidera le Festival de Cannes. En effet, le festival confie généralement la présidence du jury aux plus grands réalisateurs américains.*
- **En fait**, très fréquent à l'oral, permet de corriger ou de rectifier un propos (on peut parfois le reformuler avec l'expression *en réalité*).
Ex. : *On reproche au festival le peu de films venant d'Afrique. Mais en fait, ce que le public veut, c'est du strass et des paillettes !*
- **D'ailleurs** permet de justifier l'argument précédent, d'apporter une preuve.
Ex. : *Les professionnels du cinéma ont reconnu le talent du réalisateur, qui a d'ailleurs été primé à Cannes en 2009.*
- **Par ailleurs** apporte un argument supplémentaire (en plus).
Ex. : *Par ailleurs, cette enquête confirme que le cinéma reste l'art le plus populaire.*
- **Au contraire** exprime une idée opposée.
Ex. : *Le public s'exprime sur les réseaux sociaux pour critiquer ou, au contraire, encenser la décision du jury.*
- **Alors que** permet d'opposer deux faits ou deux idées.
Ex. : *Les jeunes préfèrent les films américains alors que les seniors choisissent plutôt les films français.*
- **Donc** introduit une conséquence.
Ex. : *Les écrans n'incitent pas les gens à rester chez eux, et n'ont* **donc** *pas tué les salles de cinéma.*
- **Enfin** sert à présenter le dernier point de votre argumentation.
Ex. : *Enfin, ce livre montre que le piratage des films ne réduit pas la fréquentation des cinémas.*
- **Pourtant** marque une restriction.
Ex. : *Ce festival se déroule en France, et pourtant le cinéma français n'est pas le plus récompensé.*

1 Un cinéma multiculturel

Lisez ce document et suivez les consignes.

Le film *Rebelle*, du réalisateur québécois Kim Nguyen, a été choisi pour représenter le Canada dans la course à l'Oscar du meilleur film en langue étrangère à la cérémonie hollywoodienne de février 2013. Alors que son précédent film, *La cité* (2009), se passait en 1895 en Afrique du Nord, ce film se déroule en Afrique subsaharienne au 21ᵉ siècle. Nommés aux Oscar dans la catégorie du meilleur film en langue étrangère, *Incendies* de Denis Villeneuve en 2011 et *Monsieur Lazhar* de Philippe Falardeau en 2012 avaient créé une belle surprise. En effet, pour la première fois, deux films canadiens étaient nommés deux années consécutives. Par ailleurs, *Inch'Allah*, le nouveau film de la réalisatrice québécoise Anaïs Barbeau-Lavalette vient d'être présenté au Festival international du film de Toronto. C'est l'histoire d'une jeune Québécoise habitant en Israël, médecin dans la clinique d'un camp de réfugiés palestiniens en Cisjordanie. Le caractère multiculturel et l'ouverture sur la diversité de ce film caractérisent bien le cinéma canadien francophone d'aujourd'hui. D'ailleurs, *Incendies* et *Monsieur Lazhar* montrent aussi un intérêt particulier pour l'étranger, au-delà des frontières. Pourtant, ce multiculturalisme s'exprime jusqu'à présent à travers des œuvres de réalisateurs québécois. En fait, peu de cinéastes francophones issus de l'immigration arrivent à se trouver une place dans l'industrie du cinéma québécois. En France, au contraire, il existe déjà plusieurs grands réalisateurs d'origine étrangère. Aujourd'hui, les Canadiens espèrent donc que *Rebelle* sera récompensé à Hollywood, grâce au talent de leur jeune réalisateur Kim Nguyen.

a. Soulignez dans le texte les articulateurs du discours et dites ce qu'ils expriment.

b. Remplacez les articulateurs par les expressions suivantes : en réalité – pour preuve – c'est pourquoi – mais – de plus – à l'inverse – il est vrai que – tandis que.

c. Quelle est la caractéristique du nouveau cinéma québécois ?

....

Qu'est-ce qui oppose le cinéma français et le cinéma québécois ?

....

d. Pourquoi les deux films canadiens *Incendies* et *Monsieur Lazhar* ont créé une belle surprise ?

....

2 Les mots du cinéma

Associez la définition et l'expression correspondant.

1. C'est la présentation d'un film qui sort au cinéma. •
2. C'est une autre façon de nommer le cinéma. •
3. C'est un film joué dans les salles de cinéma en ce moment. •
4. C'est une personne qui gagne un prix. •
5. C'est la personne qui dirige un film. •
6. C'est un film qui dure plus d'une heure. •
7. On en donne une au meilleur film lors d'une compétition. •
8. C'est le nom qu'on donne à un acteur ou une actrice célèbre. •

- • **a.** Un lauréat
- • **b.** Un réalisateur
- • **c.** Une vedette
- • **d.** Un long-métrage
- • **e.** La bande-annonce
- • **f.** Un film à l'affiche
- • **g.** Une récompense
- • **h.** Le grand écran

3 Sur le grand écran

Soulignez le mot qui convient.

a. C'est un acteur talentueux, qui connaît un grand succès populaire, *pourtant / en effet*, il n'a pas été récompensé au Festival de Cannes.
b. Moi, je préfère voir les films chez moi *alors que / donc* mon ami ne veut les voir que sur grand écran.
c. Pour moi, ce film est excellent, les acteurs sont très bons, *pourtant / d'ailleurs* il a obtenu le César du meilleur film.
d. Ce film sera à l'affiche la semaine prochaine. *Par ailleurs / En effet* une rencontre sera organisée à la cinémathèque avec le réalisateur et les acteurs principaux.
e. Dans les salles de mon quartier, impossible de voir un film en version originale, *au contraire / donc* je dois prendre le train pour aller au cinéma !
f. Je pensais que ce film avait un scénario original, *en fait / en effet* c'est l'adaptation d'un roman assez peu connu.

4 Cérémonies

Oscar, César, Palme d'or pour le Festival de Cannes récompensent les films et attirent souvent plus de spectateurs. Pourtant, certains films n'obtiennent pas la reconnaissance des professionnels, comme par exemple le plus grand succès de l'histoire du cinéma français *Bienvenue chez les Chtis* (20 millions d'entrées au cinéma), ou encore Audrey Tautou qui n'a pas reçu de César pour son interprétation d'Amélie dans *Le Fabuleux destin d'Amélie Poulain*.

a. Selon vous, est-ce que ce sont vraiment les meilleurs films qui sont récompensés ? Donnez des exemples.

....

b. Est-ce que les prix attribués à un film vous incitent à aller le voir ? Expliquez pourquoi.

....

Le Lion d'or est le prix attribué lors de la Mostra de Venise, festival international qui se déroule en septembre. La première édition a eu lieu en 1932.

En France, les César du cinéma récompensent depuis 1976 les meilleurs films français. La statuette a été créée par le sculpteur César.

L'Ours d'or est la récompense décernée lors du festival de Berlin depuis 1951. L'ours est le symbole de la ville.

Art contemporain africain : une création dynamique et éclectique

Des manifestations

La Biennale Rencontres de Bamako est une manifestation qui se déroule au Mali depuis 1994. Des photographes contemporains sont exposés dans différents lieux culturels de la capitale, des colloques et des projections de films sont proposés. Cette biennale, organisée par le ministère de la Culture malien en collaboration avec l'Institut français, est aujourd'hui un événement culturel africain important. Elle a permis de révéler de grands photographes africains comme Malick Sidibé et Seydou Keïta. Un jury de professionnels internationaux décernent plusieurs prix et récompenses, dont le prix Seydou Keïta et le prix de l'Union européenne.
Dans le cadre des rencontres de Bamako en 2011, quatorze photographes maliens ont donné leur interprétation de l'état de la planète, autour du thème « Pour un monde durable ».

Mamadou Cissé a été sélectionné pour la 10e Biennale de Dakar. C'est un artiste qui s'intéresse aux grands projets architecturaux utopiques. Il dessine la ville moderne. Il vit en France depuis l'âge de 18 ans.

Pour découvrir les Rencontres de Bamako :

Boulev'Art, Artistes dans la rue est une manifestation qui se déroule au Bénin, à Cotonou. Créé en 1999, cet événement est né d'un besoin, celui d'établir des liens entre l'art et le public. En effet, certains artistes béninois étaient peu connus chez eux parce que le public ne fréquente pas les lieux dédiés à l'art contemporain. Pour faire connaître leur travail, les artistes s'installent donc pendant quinze jours dans la rue, sur la place de l'Étoile rouge, le plus grand carrefour de la ville de Cotonou. Et sous le regard attentif des passants, ils créent et peuvent répondre aux questions des gens qui s'interrogent sur le sens de leurs créations.

La première édition de la **Biennale de Dakar**, qui a eu lieu en 1992 dans la ville de Dakar au Sénégal, regroupait des artistes d'art contemporain du monde entier. Suite à son succès et compte tenu de la faible présence de l'art contemporain africain sur la scène internationale, il a été décidé que les éditions suivantes seraient consacrées uniquement à l'art contemporain africain. Cette biennale, aussi appelée *Dak'art*, est un véritable succès : elle attire des amateurs et des professionnels de l'art du monde entier et permet à des artistes de toute l'Afrique de se faire connaître. Présente dans 180 lieux d'exposition au Sénégal, cette rencontre est l'occasion de nombreux échanges entre créateurs et professionnels de l'art, mais c'est aussi un espace de débats autour de questions de société d'une Afrique en pleine mutation.

1. Qu'est-ce qui caractérise ces manifestations culturelles ?
2. Quels sont les objectifs de ces manifestations ?

La fondation Blachère soutient les artistes africains

L'art africain naît de l'inspiration et de la détermination d'artistes talentueux, mais aussi grâce aux mécènes et aux galeristes qui permettent de faire connaître des œuvres d'art contemporain du continent africain, de Bamako à Paris, en passant par Joannesboug. Les cultures africaines sont un apport à la culture mondiale, aussi bien pour un public africain que pour un public occidental, car comme le disait André Malraux, « l'art, c'est le plus court chemin de l'homme à l'homme ».
Ceux qui aiment l'art contemporain et l'Afrique sont tous venus en Provence, à Apt, où la fondation Blachère développe des échanges culturels entre l'Europe et l'Afrique en exposant et en soutenant les meilleurs créateurs africains depuis 2004. Peintures, photos, vidéos, on peut y admirer des œuvres parfois très colorées, parfois plus sombres, mais toujours d'une grande diversité, inspirées des traditions du continent mais aussi des réalités de l'Afrique d'aujourd'hui.

Chaque année, la fondation Blachère est présente lors de la Biennale de Dakar. Des critiques d'art venant de tout le continent sont choisis et forment un jury qui doit attribuer des prix aux artistes présents à Dakar. En 2008, cinq artistes ont été récompensés. C'est un moment très important parce cela permet de découvrir de nouveaux talents ou des artistes peu connus et, comme la fondation Blachère a une certaine notoriété, être récompensé par son jury est une aide précieuse pour les artistes. Il y a d'un côté une aide financière pour le lauréat, mais pour les autres gagnants, c'est aussi une manière de reconnaître leur talent : on publie un catalogue, on organise une exposition de leurs œuvres, et pendant une semaine ils sont invités dans des résidences d'artistes où ils peuvent partager leur travail et leur réflexion avec d'autres artistes et avec toute l'équipe de la fondation.

3. Que fait la fondation Blachère pour soutenir les artistes ?

4. Observez ces œuvres des lauréats récompensés par la fondation Blachère. Laquelle préférez-vous ? Pourquoi ?

Tchalê Figueira est un peintre et un poète du Cap-Vert. Son travail, essentiellement graphique, est inspiré par le thème du subconscient et des éléments de la culture capverdienne. Le fond noir de ses tableaux évoque l'enfance et le souvenir du tableau noir de l'école.

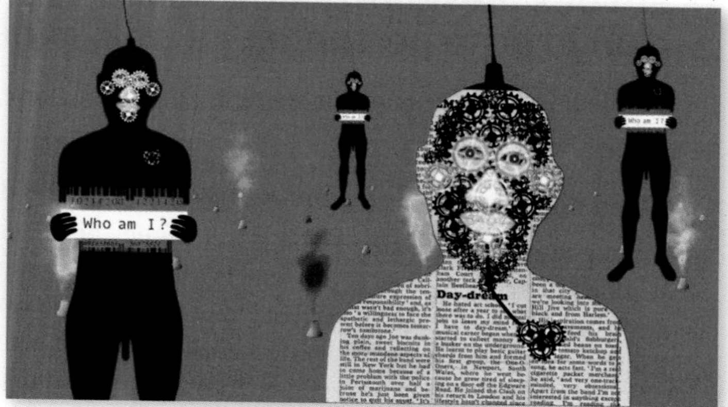

Peintre et vidéaste sénégalais très créatif, **Samba Fall** fait partie de la génération d'artistes pluridisciplinaires qui ont une parfaite maîtrise des outils de l'art numérique.

5. Connaissez-vous des musées ou des institutions culturelles dédiés à l'art africain ? Y a-t-il dans votre pays des artistes africains connus ?

Compréhension orale

1 Écoutez, cochez la bonne réponse et répondez aux questions.

Film 1

a. Il s'agit d'un film purement comique. ❒
Le film raconte le succès de Valentin, vedette du cinéma muet. ❒
Le réalisateur nous parle de la décadence d'un acteur à succès. ❒

b. *The Artist* est un film parlant. ❒
Les acteurs jouent à merveille. ❒
Ce film n'a eu qu'un succès moyen. ❒

c. Quelles sont les récompenses que le film a obtenues ?

....

Film 2

d. *Le Prénom* est un film dramatique. ❒
Les dialogues du film sont mal écrits. ❒
Il s'agit de l'adaptation d'une pièce de théâtre. ❒

e. Ce film a beaucoup de charme. ❒
L'annonce du prénom du futur enfant choque tout le monde. ❒
Les acteurs sont mal à l'aise dans leur rôle. ❒

f. Ce film a-t-il obtenu une récompense ?

....

Production orale

2 Jouez le rôle qui vous est indiqué.

Vous allez à un concert de votre groupe préféré et vous proposez à un(e) ami(e) de vous accompagner.

Votre amie(e) refuse car il/elle ne connaît rien à ce type de musique. Vous lui expliquez la programmation et essayez de le/la convaincre. L'examinateur joue le rôle de votre ami(e).

3 Vous dégagez le thème soulevé par le document et vous présentez votre opinion sous la forme d'un exposé personnel de trois minutes environ.

L'examinateur pourra vous poser quelques questions.

***Vides* : une exposition provocante à Beaubourg**

Arrêtez-vous, il n'y a rien à voir ! Neuf salles blanches et vides de toute œuvre d'art sont là pour nous parler de l'absence. C'est le rien qui est l'œuvre. Depuis Yves Klein en 1958, plusieurs artistes conceptuels se sont livrés à ce jeu provocant. En mars 2009, pour une durée de 15 jours, c'est au Centre Pompidou, à Paris, qu'a eu lieu cette rétrospective. Où poser son regard ? On peut toujours lire les explications, qui nous aident à donner du sens à cette exposition, réfléchir, s'évader... Cela reste bien abstrait et conceptuel... Difficile à comprendre et donc à apprécier, l'art contemporain ?

Compréhension écrite

4 Lisez le texte et répondez aux questions.

Le Livre de poche, un danger pour « l'aristocratie des lecteurs »

Le Livre de Poche

Le Livre de poche a 60 ans. Pour l'occasion, le Salon du livre 2013 a organisé une exposition sur « l'histoire graphique du Livre de poche ». Petit format, grande histoire, pour une marque devenue un nom commun, et qui est dans toutes les bibliothèques des foyers français. C'est Henri Filipacchi, alors secrétaire général de la Librairie Hachette, qui comprend en 1953 l'importance de l'accès à la lecture pour tous et crée ces petits livres à petit prix (2 francs, soit 30 centimes d'euro).

Rendre accessibles les grands textes classiques grâce aux méthodes de diffusion du roman populaire constitue une véritable révolution culturelle qui n'a pourtant pas été appréciée par tous, faisant ainsi naître une polémique. En effet, certains intellectuels ont critiqué ce format poche, en affirmant la nécessité d'une « aristocratie des lecteurs ».

« Ça fait lire un tas de gens qui n'avaient pas besoin de lire, finalement. Avant ils lisaient *Nous deux*[1] ou *La Vie en fleurs*[2], et d'un seul coup ils se sont retrouvés avec Sartre dans les mains, ce qui leur a donné une espèce de prétention intellectuelle qu'ils n'avaient pas », pouvait-on entendre. Heureusement, aujourd'hui ce débat fait sourire, et ce format réduit, vecteur essentiel de la transmission de la littérature, est très vite devenu indispensable pour la stratégie des éditeurs.

Aujourd'hui, la maison d'édition Le Livre de poche a imprimé plus d'un milliard de livres et vendu en six décennies un catalogue de 5 200 titres et plus de 2 000 auteurs. Le marché du poche représente un bon tiers du marché du livre français, et un livre sur quatre acheté en librairie l'est dans ce format, contre un sur cinq en 2003. Il est donc évident que, au-delà des polémiques, le livre de poche a permis une diffusion des idées jusqu'alors inégalée. Le prolétariat des lecteurs a bien remporté sa révolution.

D'après www.lemonde.fr, 21 mars 2013.

1. Il s'agit d'un roman-photo très populaire créé en France en 1947, avec des histoires sentimentales pour un public essentiellement féminin.
2. C'est un autre magazine féminin, contenant des romans d'amour.

a. Quand le Livre de poche a-t-il été créé et par qui ?

....

b. En quoi cela a-t-il été une véritable révolution culturelle ?

....

c. Quelle est la polémique qu'a entraînée la création de ce format de poche ?

....

d. Comment se porte aujourd'hui le marché du livre de poche ?

....

e. Expliquez la phrase : « Le prolétariat des lecteurs a bien remporté sa révolution ».

....

Expression écrite

5 Dans un texte construit et cohérent, vous donnerez votre avis sur ce sujet, en expliquant quelles sont vos pratiques.
(160 à 180 mots)

Le marché du disque est en baisse, la musique est devenue essentiellement numérique. Pourtant, les artistes ont besoin d'enregistrer des disques et de les vendre pour construire leur notoriété. Que faire ? Baisser le prix des disques, lutter contre le piratage, limiter les échanges en réseaux ?

Bilan actionnel

1 Faites votre cinéma !

Vous organisez un festival de cinéma.
- Donnez un nom à votre festival et imaginez la récompense qui sera remise au meilleur film.
- Choisissez une sélection de 6 films et les récompenses qui seraient attribuées (meilleur film, meilleur acteur, meilleure actrice, etc.)
  Pour faire cette sélection, allez sur le site de My French Film Festival :
- Attribuez une note de 1 à 5 aux films en compétition.
- Désignez le lauréat de votre festival.

2 Le festival des Eurockéennes fête ses 25 ans !

Vous écoutez une émission de radio sur les Eurockéennes. Intéressé(e) par ce festival, vous écrivez un courriel à un groupe d'amis pour leur présenter le festival et leur proposer de vous y accompagner.

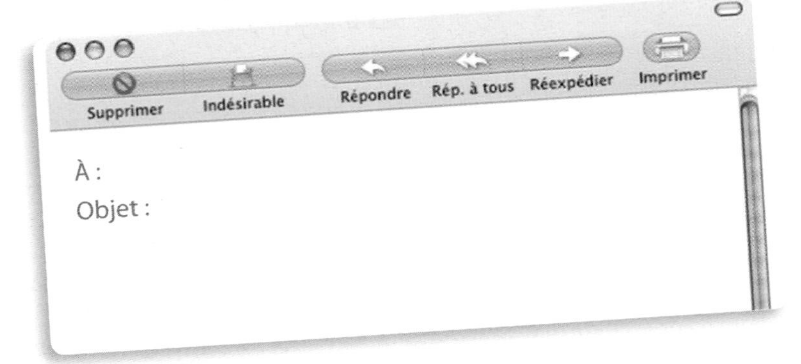

3 De l'art dans votre ville

Par petit groupe, vous organisez votre exposition. Vous choisissez :
- le thème,
- le lieu (un café, le centre culturel de la ville, une médiathèque...), la date et la durée.

Vous rédigez votre invitation, et un court texte présentant le ou les artiste(s) et ses/leurs œuvres.

4 Négociez !

Vous avez besoin d'une salle pour votre exposition. Vous rencontrez un responsable de la mairie que vous devez convaincre de vous prêter une salle. Préparez vos arguments, et jouez la scène avec votre voisin.

Comment vous sentez-vous ?

UNITÉ 4

La consultation chez le médecin

- Décrire des problèmes de santé – exprimer une condition – faire des recommandations – parler de son passé médical

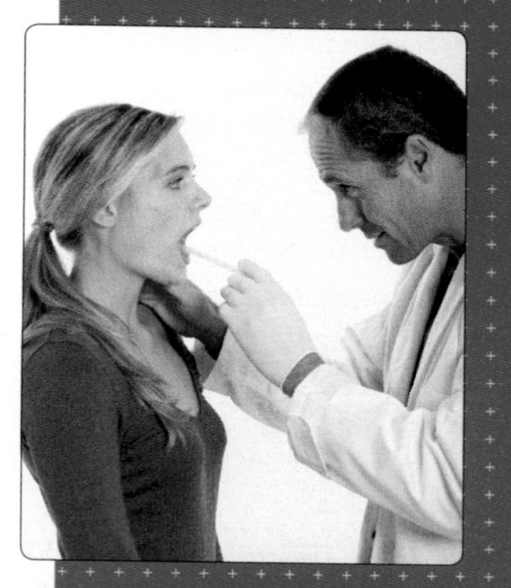

Les nouvelles technologies et la santé

- Rapporter les paroles de quelqu'un (2) – rapporter ses propres pensées, ses propres interrogations – décrire des applications smartphone pour la santé – interroger sur la santé

Consommation ou surconsommation de médicaments ?

- Expliquer des raisons (2) – expliquer les raisons de sa colère

La sieste, bonne pour la santé ?

- Exprimer une information incertaine – exprimer ses sensations – exprimer une antériorité – décrire une affiche publicitaire

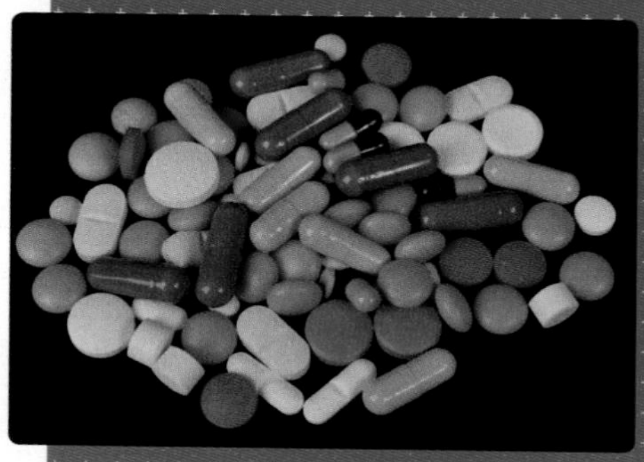

La consultation chez le médecin

Je comprends et je communique

1 Vous allez souvent chez le médecin ?

2 Un médecin un peu spécial

Louis Jouvet dans le rôle de Knock, 1951.

KNOCK : Ah ! Voici les consultants. *À la cantonade.*[1] Une douzaine, déjà ? Prévenez les nouveaux arrivants qu'après onze heures et demie je ne puis[2] plus recevoir personne, au moins en consultation gratuite. C'est vous qui êtes la première, madame ? *Il fait entrer la dame en noir et referme la porte.* Vous êtes bien du canton ?

LA DAME EN NOIR : Je suis de la commune.

KNOCK : De Saint-Maurice même ?

LA DAME : J'habite la grande ferme qui est sur la route de Luchère.

KNOCK : Elle vous appartient ?

LA DAME : Oui, à mon mari et à moi.

KNOCK : [...] Vous devez avoir beaucoup de travail ? [...] Il ne doit guère vous rester de temps[3] pour vous soigner ?

LA DAME : Oh ! Non.

KNOCK : Et pourtant vous souffrez.

LA DAME : Ce n'est pas le mot. J'ai plutôt de la fatigue.

KNOCK : Oui, vous appelez ça de la fatigue. *Il s'approche d'elle.* Tirez la langue. Vous ne devez pas avoir beaucoup d'appétit.

LA DAME : Non. [...]

KNOCK, *il l'ausculte* : Baissez la tête. Respirez. Toussez. Vous n'êtes jamais tombée d'une échelle, étant petite ?

LA DAME : Je ne me souviens pas.

KNOCK *il lui palpe* [...] *le dos* [...]. Vous n'avez jamais mal ici le soir en vous couchant ? Une espèce de courbature ?

KNOCK, *il continue de l'ausculter.* Essayez de vous rappeler. Ça devait être une grande échelle.

LA DAME : Ça se peut bien.

KNOCK, *très affirmatif.* C'était une échelle d'environ trois mètres cinquante, posée contre un mur. Vous êtes tombée à la renverse. [...]

LA DAME : Ah oui !

KNOCK : Vous aviez déjà consulté le docteur Parpalaid ?

LA DAME : Non, jamais.

KNOCK : Pourquoi ?

LA DAME : Il ne donnait pas de consultations gratuites.

Un silence.

KNOCK, *la fait asseoir.* Vous vous rendez compte de votre état ?

LA DAME : Non.

KNOCK, *il s'assied en face d'elle.* Tant mieux. Vous avez envie de guérir, ou vous n'avez pas envie ?

LA DAME : J'ai envie.

KNOCK : J'aime mieux vous prévenir tout de suite que ce sera très long et très coûteux. [...] Remarquez que vous ne mourrez pas du jour au lendemain. Vous pouvez attendre.

LA DAME : Oh ! Là ! Là ! J'ai eu bien du malheur à tomber de cette échelle ! [...] Vous ne pourriez pas me guérir à moins cher ?... à condition que ce soit bien fait tout de même.

KNOCK : Ce que je puis vous proposer, c'est de vous mettre en observation. Ça ne vous coûtera presque rien. [...] Bien, vous allez rentrer chez vous. Vous êtes venue en voiture ?

LA DAME : Non, à pied.

KNOCK, *tandis qu'il rédige l'ordonnance, assis à la table.* Il faudra tâcher de vous trouver une voiture. Vous vous coucherez en arrivant. [...] Faites fermer les volets et les rideaux pour que la lumière ne vous gêne pas. Défendez qu'on vous parle. Aucune alimentation solide pendant une semaine. Un verre d'eau de Vichy toutes les deux heures, et, à la rigueur, une moitié de biscuit, matin et soir, [...] dans un doigt de lait. Mais j'aimerais autant que vous vous passiez de biscuit. Vous ne direz pas que je vous ordonne des remèdes coûteux ! À la fin de la semaine, nous verrons comment vous vous sentez. [...]

Jules Romains, *Knock ou le Triomphe de la médecine*, acte II, scène 4, 1923, © Éditions Gallimard.

1. Parler à la cantonade : sans s'adresser à une personne en particulier.
2. Puis : peux.
3. Il ne doit guère vous rester de temps : Vous ne devez plus avoir beaucoup de temps.

Vocabulaire 

• Noms
un médecin
un traitement
une consultation (consulter)
un canton
une commune
une ferme
la fatigue
une courbature
une échelle
le dos
l'état
une ordonnance
un biscuit
un remède

• Adjectifs
solide (une alimentation)
malade
gras / grasse

• Verbes
appartenir
soigner / se soigner
souffrir de (quelque chose)
tirer la langue
respirer
tousser
palper
avoir mal à... / au...
ausculter
tomber à la renverse
guérir
mettre / être en observation
rédiger (une ordonnance)
se sentir
tâcher de...
se passer de...

• Manières de dire
J'aimerais autant
Vous ne direz pas que...
Ça marche !
Ça se peut bien
Vous vous rendez compte !
du jour au lendemain
à la rigueur

 Écouter

• Écoutez le document 1 p. 80 et répondez aux questions.

a. Quel est le sujet de l'émission « santé » ?
b. Complétez le tableau.

	Va-t-elle souvent chez le médecin ?	Pourquoi ?
Personne interrogée 1		
Personne interrogée 2		
Personne interrogée 3		

Comprendre

• Lisez le document 2 p. 80 et répondez aux questions.

a. Est-ce que beaucoup de patients sont venus consulter le docteur Knock ce matin-là ? Justifiez en citant une phrase du texte.
b. Le docteur Knock reçoit sa première patiente, la Dame en noir. Que lui dit-il concernant sa santé ?
c. La Dame en noir est-elle vraiment souffrante ? Est-elle réellement tombée d'une échelle ? Justifiez votre réponse.
d. Pourquoi s'est-elle présentée dans le cabinet du docteur Knock (comme tous les autres habitants) ?
e. Quel est le réel objectif du docteur Knock ? Aidez-vous de ces phrases extraites du texte pour répondre.
« Vous vous rendez compte de votre état ? »
« Vous voulez guérir ? »
« Ce sera long et coûteux. »

 Communiquer

« Bien mal acquis ne profite jamais » est un proverbe français qui signifie qu'on ne peut pas profiter de quelque chose qu'on a obtenu de manière malhonnête.

Êtes-vous d'accord avec ce proverbe ? Discutez en petits groupes, donnez des exemples.

 Écrire

Imaginez la scène suivante : le docteur Knock reçoit une autre patiente, la Dame en violet. Elle a soixante ans.

a. Il ausculte la patiente, lui pose discrètement des questions pour savoir si elle a de l'argent (et elle en a).
b. Il lui trouve de faux problèmes de santé.
c. Au début elle n'est pas d'accord avec lui mais finit par le croire.
d. Il lui donne le prix du traitement, elle réagit mal. Alors, pour la garder, il lui propose d'abord un traitement et des remèdes très peu coûteux, mais pour qu'elle revienne le voir très vite...

Fabrice Lucchini dans le rôle de Knock, 2002.

 Je prononce 

• Écoutez et répétez.

Phrases exclamatives	Phrases interrogatives
Ah ! Voici les consultants. (*contentement*) Oh ! Non. (*regret*) Ah oui ! (*souvenir*) Oh ! Là ! Là ! J'ai eu bien du malheur à tomber de cette échelle ! (*regret*)	Une douzaine, déjà ? (*étonnement*) C'est vous qui êtes la première, madame ? (*interrogation*) Vous devez avoir beaucoup de travail ? (*sous-entendu*) Vous vous rendez compte de votre état ? (*alarmant*)

J'APPRENDS ET JE M'ENTRAÎNE

Grammaire

Les temps du passé (1)

- **L'imparfait**
  On l'emploie pour :
  – faire une description
  Ex. : ***C'était*** *une échelle d'environ trois mètres cinquante.*
  – parler d'une habitude dans le passé
  Ex. : *Il ne* ***donnait*** *pas de consultations gratuites.*
- **Le passé composé**
  On l'emploie pour exprimer un fait ponctuel.
  Ex. : *Vous* ***êtes tombée*** *à la renverse.*
- **Le plus-que-parfait**
  Il est formé de l'auxiliaire *être* ou *avoir* à l'imparfait + le participe passé du verbe.
  On l'emploie pour exprimer une antériorité par rapport à une autre action passée.
  Ex. : *Vous* ***aviez*** *déjà* ***consulté*** *le docteur Parpalaid ?*

Le subjonctif

- **Formation :**
  – pour **je, tu, il, ils** : radical du présent, à la 3e personne du pluriel + les terminaisons des verbes du premier groupe au présent
  – pour **nous, vous** : radical du présent, à la 1re personne du pluriel + les terminaisons de l'imparfait
  Ex. : *boire*
  que je boive
  que tu boives
  qu'il boive
  que nous buvions
  que vous buviez
  qu'ils boivent

Verbes irréguliers : *être, avoir, faire, pouvoir, savoir, aller* → **Tableaux de conjugaison p. 154-159**

- **On l'emploie pour :**
  – exprimer une condition
  Ex. : *À condition que ce* ***soit*** *bien fait tout de même.*
  – exprimer le but quand les sujets sont différents
  Ex. : *Faites fermer les volets et les rideaux pour que la lumière ne vous* ***gêne*** *pas.*
  – exprimer une interdiction avec un verbe à l'impératif
  Ex. : *Défendez qu'on vous* ***parle****.*
  – exprimer une préférence
  Ex. : *J'aimerais autant que vous vous* ***passiez*** *de biscuit.*

1 Le malade imaginaire

Relisez le vocabulaire de la page 81, puis, deux par deux, imaginez tous les problèmes de santé imaginaires d'un hypocondriaque* qui se plaint à son médecin.

* hypocondriaque : malade imaginaire.

2 La réaction du médecin...

Mettez en commun les problèmes évoqués par l'hypocondriaque.
Imaginez ensuite les réponses du médecin en utilisant :

- Défendez / Interdisez qu'on...
- J'aimerais (autant) que...
- Pour que...

Exemple : « *J'ai toujours mal à la tête.* »
→ *J'aimerais autant que vous ne preniez pas de médicaments pour vos maux de tête. Restez un moment allongé dans le noir pour que ça passe. Et défendez qu'on fasse du bruit !*

....

....

....

....

....

3 Avoir le meilleur médecin

Deux par deux, jouez cette scène : vous n'êtes pas content(e) de votre médecin et vous souhaitez en changer. Vous rencontrez un nouveau médecin qui vous interroge.

Exemple :
– *Je viens vous voir parce que depuis quelques semaines, j'ai souvent mal au ventre.*
– *Vous avez suivi un traitement ?*
– *Oui, j'ai suivi un traitement qui n'a pas marché. Mais mon médecin habituel ne veut plus rien me donner. Il pense que ça va passer tout seul...*
– *Et avant de ressentir ces douleurs au ventre, vous aviez eu d'autres problèmes particuliers ?*
– *Non ! J'ai toujours été en bonne santé ! Avant ces maux de ventre, j'allais très bien !*

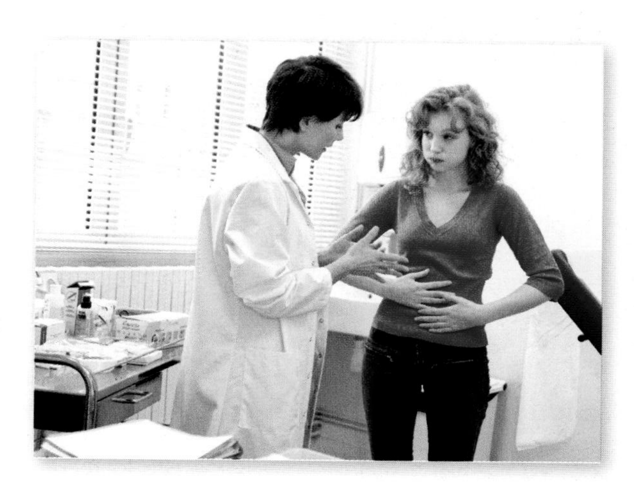

4 Peur du médecin ?

Cette femme a très peur d'aller chez le médecin. Elle accepte enfin d'y aller mais pose beaucoup de conditions. Imaginez-les.

Exemple : *J'y vais à condition qu'il ne me fasse pas de piqûre !*

....

....

....

....

....

....

....

Les nouvelles technologies et la santé

Je comprends et je communique

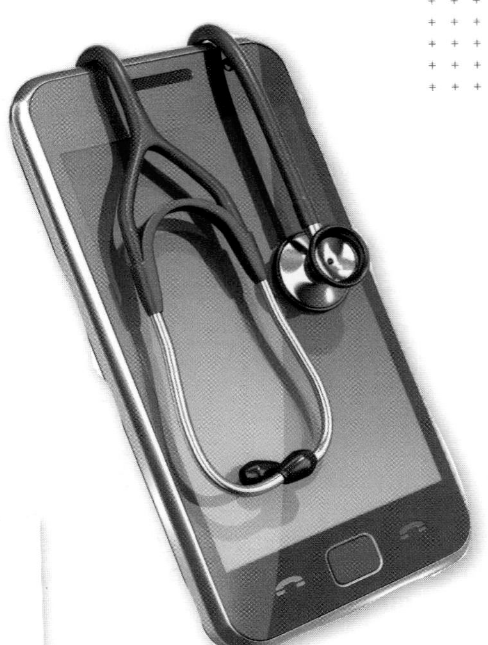

1 Le smartphone et la santé

2 Des applications pour la santé

Pour le suivi du diabète ou des maladies cardiovasculaires, pour rappeler les horaires de prise de médicaments, pour localiser la pharmacie la plus proche ou encore pour contrôler l'efficacité du brossage de dents, les applications mobiles (« apps ») consacrées à la santé connaissent une croissance extraordinaire. En moins de deux ans, le nombre des applications forme, nutrition et santé est passé de quelques centaines à environ 17 000. Et ce nouveau domaine de la « santé mobile », appelé « m-santé » séduit : en 2015, 500 millions de personnes (environ 33 % des personnes qui ont un smartphone) utiliseront des applications m-santé.

3 Connaissez-vous la m-santé ? Qu'en pensez-vous ?

Vocabulaire 

• Noms
un thermomètre
une aspirine
du sirop
une pastille
un suppositoire
un(e) patient(e)
les (mauvaises) habitudes
un praticien
un industriel
un (médecin) généraliste
un anticancéreux
la prévention
le marché

• Adjectifs
attentif / attentive
bon marché
hospitalier
élevé(e)

• Verbes
tracasser
consommer
prescrire (des médicaments)
se défendre
mettre en cause / être mis en cause

• Pour communiquer
Bon !
au lieu de
selon moi, toi, lui, elle, nous, vous, eux
du côté de

• Manières de dire
Tu vois pas que...
Va plutôt me chercher (une aspirine)
Je faisais ça pour t'aider
être accro
une explosion de dépenses

Écouter

• Écoutez le document 1 p. 88 et répondez aux questions.

a. Combien d'argent les Français ont-ils dépensé en 2009 pour les médicaments ?
b. Quelle est l'évolution de cette dépense depuis 2004 ?
c. Les patients sont-ils les seuls à être responsables ?
d. Est-ce que tous les médecins continuent de prescrire trop de médicaments ? Justifiez.
e. Pourquoi la dépense en médicaments est-elle aussi élevée ?

Comprendre

• Lisez la BD p. 88 et répondez aux questions.

a. Quel est le problème de Robert ?
b. Comment se comporte-t-il avec Raymonde, sa femme ?
c. Que ressent Raymonde ?
d. Quand Raymonde ouvre son armoire à pharmacie, que remarque-t-on ?

Communiquer

On vous propose des médicaments à prendre à vie pour rester jeune. Acceptez-vous ? Pourquoi ? Discutez deux par deux, puis en grand groupe.

Écrire

Imaginez le texte qui accompagne cette publicité.

Je prononce 

• Entendez-vous le son [ʒ] ou le son [ʃ] ?

	1	2	3	4	5	6
[ʒ]						
[ʃ]						

• Entendez-vous le son [f] ou le son [v] ?

	1	2	3	4	5	6
[v]						
[f]						

J'APPRENDS ET JE M'ENTRAÎNE

Grammaire

Les expressions de la cause

- **En effet** explique ce qui est juste avant. Il s'utilise après une virgule ou un point. Il est suivi de l'indicatif.
  Ex. : *Les Français sont de plus en plus accros aux médicaments. En effet, en 2009 ils ont consommé près de 36 milliards d'euros en médicaments.*
- **Le participe présent** est formé du radical du verbe au présent à la première personne du pluriel + *-ant*
  Ex. : *nous venons → venant*

Exceptions :
- *avoir → ayant*
- *être → étant*
- *savoir → sachant*

Le participe présent s'utilise dans un langage soutenu. Il se place en début de phrase. Le sujet doit être le même que celui du verbe de la phrase.
Ex. : *Comme ils (ne) sont (pas) très attentifs, ils...*
→ *(N')Étant (pas) très attentifs, ils...*

- ***En cause* + nom** indique qu'on « met en cause », c'est-à-dire qu'on accuse. Il se place en début de phrase.
  Ex. : *En cause, les mauvaises habitudes des patients comme des médecins.*
- ***Étant donné que* + verbe à l'indicatif (ou *Étant donné* + un nom)** indique que la cause est un fait constaté. Il se place en début de phrase.
  Ex. : *Étant donné que la prescription des médicaments n'a jamais été aussi basse, ils n'acceptent pas d'être mis en cause.*
  Ex. : *Étant donné le prix très élevé des médicaments, les chiffres explosent.*

Remarque : quand il y a deux causes, on écrit *Étant donné que ... et que ...*

1 Devinettes

Souvenez-vous du vocabulaire page 89 pour répondre.

a. C'est un médecin qui travaille à l'hôpital : ....
b. Etre dépendant : ....
c. C'est un médicament qui se boit : ....
d. Le médecin prescrit des médicaments à ses ....
e. C'est le contraire de « cher » : ....
f. Les médecins pratiquent la médecine, ce sont des ....

2 Les hommes, les femmes et les médicaments...

À votre avis, comment s'explique la consommation élevée de médicaments chez les femmes ? Comment s'explique la consommation moins élevée chez les hommes ? Aidez-vous du graphique. Utilisez *étant donné que... - étant donné* + nom.

Exemple : *Étant donné que les femmes ne veulent pas prendre de poids, elles prennent des médicaments pour maigrir.*

....
....
....

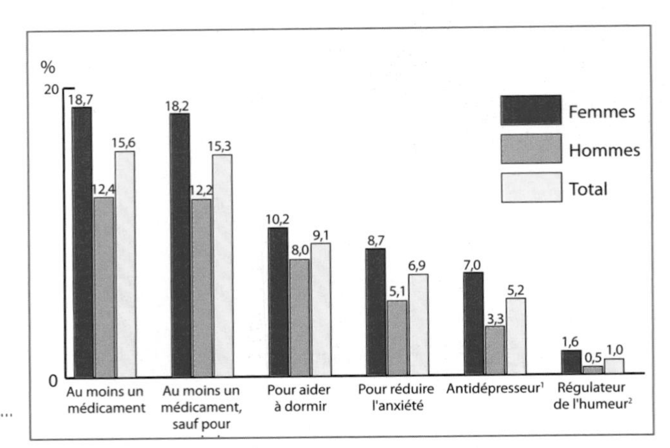

1. Antidépresseur : tranquillisant.
2. Régulateur de l'humeur : pour contrôler la mauvaise humeur.

3 Que faire des médicaments non utilisés ?

À partir des éléments donnés, écrivez une note informative.
Utilisez « étant donné que » et « en effet ».

Si vous n'avez pas fini vos médicaments ou s'ils ne sont plus bons,

NON :
Jeter les médicaments à la poubelle, ou dans les toilettes : pollution

OUI :
Les rapporter au pharmacien :
– il les détruit et leur destruction crée de l'énergie pour éclairer et chauffer les logements
– vous protégez vos enfants : si les enfants en mangent, les conséquences peuvent être graves.

....
....
....
....

4 Accro aux médicaments ?

Vous consommez beaucoup d'aspirine, de sirop, de pastilles.
Votre entourage ne comprend pas et s'inquiète.
Vous essayez d'expliquer pourquoi.
Jouez la scène deux par deux.

5 Des médicaments inutiles

Vous avez lu le livre *Guide des 4000 médicaments utiles, inutiles et dangereux*.
Écrivez un courrier aux industriels de la pharmacie.
Expliquez dans ce courrier pourquoi vous écrivez cette lettre et pourquoi vous êtes en colère. Utilisez le participe présent.

....
....
....
....

JE VAIS VOUS PRESCRIRE UN MÉDICAMENT TOTALEMENT INNEFFICACE

ET UN SECOND POUR OUBLIER QUE LE PREMIER NE SERT À RIEN

DELIGNE

La sieste, bonne pour la santé ?

JE COMPRENDS ET JE COMMUNIQUE

1 Les bienfaits de la sieste 

2 Où faire la sieste ?

Bar à sieste : comment faire la sieste en cachette

Ça y est, c'est la rentrée ! Et elle est difficile, comme chaque année ! Après avoir déposé vos enfants à l'école et participé à trois réunions le matin, vous rêvez d'une petite sieste dans un hamac, comme celle que vous faisiez chaque jour en vacances.

Vous ne le savez peut-être pas, mais il existe à Paris l'endroit dont vous rêvez : Le Bar à sieste. Ses fondateurs ont eu cette excellente idée quand ils ont remarqué qu'il manquait un endroit pour se recentrer quelques minutes loin du stress de la ville.

Dans cet espace dédié au bien-être, tout est fait pour que vous vous détendiez. Vous aurez l'impression de rentrer dans une bulle de sérénité. Il vous reste à choisir votre type de sieste : sur fauteuil apesanteur ou lit massant shiatsu. Un choix difficile !

Le fauteuil apesanteur est un délice : le personnel le règle après un diagnostic de votre état de fatigue. Allongé(e) dans une position idéale, le fauteuil vous masse tout le corps. C'est un moment magique ! Mais attention au massage « percussions », qui peut vous surprendre si vous voulez vous endormir.

Dans le lit massant shiatsu aux pierres chaudes, vous vivrez un pur instant de bonheur. En même temps que le massage, vous pourrez écouter la musique de votre choix… vous ressentirez un grand bien-être.

Après que le fauteuil apesanteur et le lit aux pierres chaudes vous auront détendu, vous aurez l'énergie nécessaire pour bien finir votre journée.

Vocabulaire

• Noms
les bienfaits de la sieste
la concentration
un sofa
un(e) salarié(e)
un moine
la méditation
un(e) pneumologue
les troubles du sommeil
le corps
un(e) spécialiste
l'anxiété
l'énervement
l'énergie
la sérénité / une bulle de sérénité
un fondateur / une fondatrice
le personnel
un diagnostic
le bien-être

• Adjectifs
certains / certaines + nom

• Verbes
améliorer
effacer
éloigner
se recentrer
participer à...
avoir l'impression de... / que...
régler (un appareil)
masser
surprendre
ressentir

• Mot invariable
à disposition de...

• Manières de dire
Il manquait (+ nom)
Il vous reste à (+ verbe)
(C'est) un moment magique
(C'est) un pur instant de bonheur

Écrire

Voici une affiche qui fait la publicité d'un bar à sieste « Dodo bar ». Expliquez le nom de ce bar et décrivez l'affiche : quel est le lien entre l'image et le slogan ?

Écouter

• Écoutez le texte 1 p. 92 et répondez aux questions.

a. Sait-on précisément quels sont les bienfaits de la sieste sur la santé ?
b. Selon certains scientifiques, qu'est-ce que la sieste permet peut-être d'améliorer ?
c. D'après ces scientifique,s pendant combien de temps faudrait-il faire la sieste ? À quelle fréquence ?
d. Que pensent les pneumologues de l'Homme moderne ?

Comprendre

• Lisez le texte 2 p. 92 et répondez aux questions.

a. À quel moment de l'année les gens ont très envie de faire la sieste ?
b. Comment les fondateurs ont-ils eu l'idée de créer un bar à sieste ?
c. Quel est le but de cet espace dédié au bien-être ?
d. Quels sont les différents types de sieste proposés ?
e. Quand est-ce qu'il ne faut pas choisir le massage « percussions » du fauteuil apesanteur ? Pourquoi ?

Communiquer

Vous voulez qu'on crée des lieux de détente dans votre entreprise : un lieu pour faire la sieste, une salle de jeux, une salle de sport, etc. Deux par deux, discutez pour préparer un rendez-vous prévu avec votre chef.

Je prononce

• Écoutez et répétez. Notez les liaisons obligatoires (le son [z]).
Quand doit-on faire les liaisons ?

Exemple : Certaines‿entreprises → après le déterminant au pluriel + un nom qui commence par une voyelle.

Certains artistes – dans une journée – dans une position idéale – dans une bulle – vos enfants – vous aurez l'impression – ils ont remarqué

J'APPRENDS ET JE M'ENTRAÎNE

Grammaire

- **Le conditionnel présent**
  - **Formation** : radical du verbe conjugué au futur + les terminaisons de l'imparfait
    Ex. : *pouvoir* → *pourr + ais / ais / ait / ions / iez / aient*
  - **Emploi** : le conditionnel présent indique un doute sur l'information qui est donnée.
    Ex. : *La sieste améliorerait la concentration.*
    → Ce n'est pas complètement sûr, on ne le sait pas.
    → **Tableaux de conjugaison, p. 154-159**
- ***Après***
  Il introduit une action qui se passe avant une autre action de la même phrase.
  Ex. : *Le personnel règle le fauteuil après un diagnostic de votre état de fatigue.*
  → D'abord le personnel fait un diagnostic, puis il règle le fauteuil.
  - **Après** peut être suivi d'un nom.
    Ex. : *Après un diagnostic*
  - Il peut également être suivi d'un infinitif passé (auxiliaire à l'infinitif + participe passé du verbe).
    Ex. : *Après avoir déposé vos enfants à l'école, vous rêvez d'une petite sieste.*
    On utilise l'infinitif passé quand les sujets sont identiques :
    – **Vous** avez déposé vos enfants à l'école.
    – **Vous** rêvez d'une petite sieste.
  - **Après** peut également être suivi de **que** et de l'indicatif.
    Ex. : *Après que le fauteuil apesanteur et le lit aux pierres chaudes vous auront détendu, vous aurez l'énergie nécessaire...*
    On utilise *après que* + indicatif quand les sujets sont différents :
    – **Le fauteuil et le lit** vous auront détendu.
    – **Vous** aurez l'énergie nécessaire...

1 Besoin d'une sieste ? 

Écoutez. Que ressentait cette personne avant sa sieste ? Que ressent-elle après sa sieste ? Complétez le tableau.

Sensations avant la sieste	Sensations après la sieste
....	....
....	....
....	....
....	....

2 Vous en êtes sûr ? 

Ne pas dormir assez serait mauvais pour la santé. Écoutez et notez les informations certaines et les informations incertaines.

Informations certaines : ....

....

informations incertaines : ....

....

3 Les bars à sourire donnent-ils toujours le sourire ?

Continuez cet article. Donnez des informations incertaines.

Les bars à sourire ne sont pas des bars traditionnels où vous pouvez boire quelque chose. Le mot « bar » vous promet juste que ça va être sympa. C'est un moyen de quitter l'univers médical stressant. Le bar à sourire, par exemple, vous dit que c'est aussi agréable d'être dans ce lieu qui vous permet d'avoir les dents blanches que de boire un café (qui va vous les jaunir*).

Pure Smile, Magic Smile, Sublim' Smile ou encore L'Atelier du sourire… Ces nouveaux commerces qui vous offrent des dents blanches se multiplient dans la capitale et en province. Avoir des dents blanches en 20 minutes : l'idée plaît beaucoup. Mais faut-il croire ces commerçants nouvelle génération, qui ne sont ni formés ni contrôlés par des dentistes ?

Il y aurait des conséquences négatives à ces séances qui permettent d'avoir les dents blanches…

* Jaunir : devenir jaune.

....

....

....

....

....

....

....

4 Comment ça se passe ?

Vous travaillez dans un bar à sourire. Vous recevez une cliente qui vous pose beaucoup de questions. Vous l'informez sur le déroulement des séances et vous insistez sur les sensations de bien-être qu'elle va ressentir en sortant.

Utilisez « après » + un nom, « après » + l'infinitif passé - « après que » + l'indicatif.

Déroulement des séances :

- se brosser les dents
- s'installer dans un fauteuil
- répondre à des questions sur sa santé dentaire (pour faire un diagnostic et vous offrir le meilleur soin)
- mettre du gel blanchissant sur ses dents
- mettre des lunettes
- placer la machine devant la bouche. La lumière bleue va permettre au gel d'agir
- rester 15 minutes sous la lampe
- se rincer la bouche

Exemple : *Après un brossage de dents, vous vous installerez dans un fauteuil confortable.*

....

....

....

Le sport

Nouveautés dans le sport

Que ce soit pour prendre soin de sa santé, pour le plaisir, pour se détendre ou pour partager un moment de convivialité, le sport offre des pratiques de plus en plus nombreuses. Ainsi, nous voyons apparaître des nouveautés chaque année. Beaucoup d'entre elles ne résistent pas au phénomène de mode, mais connaissent quand même un énorme succès à leur apparition.

Le **gym ball** c'est avant tout un gros ballon, utilisé dans différentes disciplines comme la relaxation ou la rééducation du dos. Mais il peut aussi être un compagnon efficace pour vous tonifier ! Sa vraie force : vous aider dans le mouvement.

L'**UBound**, c'est de la gymnastique sur trampoline. C'est très simple, efficace et très divertissant. En sautant, votre corps rebondit et s'élève et cette sensation vous procurera énormément de plaisir.

Le **double dutch** est un vrai sport de sauts à la corde, avec ses règles et ses championnats. La pratique de la discipline est novatrice. Elle développe la coordination et la créativité. Il s'agit d'un sport qui peut être pratiqué par tous et qui ne nécessite pas de matériel spécifique, excepté les cordes.

1. Que pensez-vous des sports présentés ici et du besoin d'en créer régulièrement ?

2. Quels sont les sports émergents dans votre pays ?

Mais le football reste de loin, le sport le plus pratiqué et le plus suivi par l'ensemble des citoyens du monde

Pourquoi ?
Parce qu'on est forcément « né quelque part », qu'on appartient à une famille, à un groupe social, qui a besoin de se mesurer aux autres. Certains exacerbent ce sentiment en le poussant à son paroxysme. Mais il est légitime de sentir une fierté quand les siens (sa famille, sa rue, sa ville, son pays) gagnent.

Y compris par les femmes !

Équipe féminine de Chine

3. Que représente le football pour vous ?
4. Que ressentez-vous lorsque votre pays en affronte un autre lors d'un match important ?
5. À votre avis, peut-on parler de chauvinisme (manifestation excessive du patriotisme) ?

Équipe féminine du Cameroun

Équipe féminine du Mexique

6. Que pensez-vous du football féminin ?
7. Le considérez-vous l'égal du football masculin ?

Compréhension orale

1 Écoutez et répondez aux questions.

a. Est-ce qu'on a toujours pensé que le chocolat était bon pour la santé ?

....

b. Selon les personnes interrogées, quels sont les bienfaits du chocolat ? Citez-en trois.

....

c. Qu'ont montré des études récentes ? Cochez la bonne réponse.

❒ Le chocolat réduit les risques de maladies cardiovasculaires.
❒ Le chocolat réduit peut-être les risques de maladies cardiovasculaires.
❒ Le chocolat ne réduit pas les risques de maladies cardiovasculaires.

Justification : ....

d. Quel est l'argument marketing des chocolatiers ?

....

e. Que pensent les spécialistes de la nutrition des effets de ces chocolats ?

....

Production orale

2 Vous jouez le rôle qui vous est indiqué.

C'est un jour de semaine, il est 22 h 30 et vous aimeriez dormir. Pour vous, le sommeil est très important. Mais votre voisin du dessous fait du bruit et vous empêche de vous endormir. Vous descendez le voir pour lui demander le silence.
L'examinateur joue le rôle du voisin/de la voisine.

3 Vous dégagez le thème soulevé par le document et vous présentez votre opinion sous la forme d'un exposé personnel de trois minutes environ.

L'examinateur pourra vous poser quelques questions.

Plat d'insectes au Cambodge

Contre la faim dans le monde, mangeons des insectes

Le chiffre est impressionnant : un milliard de personnes souffrent de malnutrition dans le monde. C'est-à-dire une personne sur sept. Pourtant, sur Terre, il y a de quoi nourrir les 6,9 milliards d'êtres humains. L'organisation des Nations unies pour la santé (FAO) pense que la solution pour nourrir toute la planète serait de manger des insectes...

Selon la FAO, les insectes seraient une des solutions pour nourrir les 10 milliards d'êtres humains qui peupleront la planète en 2060. Ils sont riches en vitamines et, surtout, ils sont une source importante de protéines ! Ces éléments sont essentiels au bon développement et au bon fonctionnement de notre corps. De plus, ils ne coûtent pas cher et se reproduisent très facilement. Par exemple, pour obtenir un bon grillon, prêt à être dégusté, il faut compter 45 jours. Par comparaison, pour qu'une vache fournisse de la viande, il faut compter plusieurs années !

Site *Un jour une actu*, 15 juin 2011.

Compréhension écrite

4 Lisez le texte et répondez aux questions.

Pourquoi je ne me sèche plus les mains dans les lieux publics

Frères et sœurs hypocondriaques, vous qui vous lavez les mains 30 fois par jour, faites attention à bien vous les sécher, sinon vos efforts ne serviront à rien. Comme l'explique Frédéric Saldmann, l'auteur de *On s'en lave les mains* (éditions J'ai Lu), la bible en hygiène digitale : « Il est important d'avoir les mains sèches, car des mains humides transmettent cinq cents fois plus de germes[1]. » C'est là que les choses se compliquent, car toutes les méthodes ne sont pas aussi efficaces et les fabricants comptent bien le faire savoir, chacun espérant tirer son épingle du jeu[2]. Sécher, oui, mais comment ? Il faut oublier le vieux torchon[3] humide plein de bactéries. Le sèche-mains électrique n'est pas non plus une solution. « Il projette les germes de vos mains humides dans la figure », prévient Saldmann. Une étude britannique de l'université de Westminster a montré que son utilisation augmentait le nombre de bactéries sur les doigts de 194 % alors que les serviettes à usage unique en faisaient disparaître entre 51 % et 76 %. Reste le cas de ces nouveaux appareils que l'on peut voir dans les toilettes : les sèche-mains à air pulsé. Ces appareils à air froid lancés à 640 km/h sèchent en dix secondes alors que leurs ancêtres à air chaud prennent près d'une minute. Et ils attrapent et font disparaître 99,9 % des bactéries, selon le fabricant, pour une durée garantie de 5 ans ou 350 000 utilisations. Mais, selon certaines études, ces appareils ne seraient pas sans bactéries et les feraient même voler jusqu'à 2 mètres de distance. Coûteux, sale et bruyant, le sèche-mains à air pulsé ? Mieux vaut finalement utiliser la serviette à usage unique. C'est la solution que conseillent à peu près toutes les agences de santé[4], à commencer par l'Organisation mondiale de la Santé. Dernier avantage du tissu jetable, il peut servir aux plus anxieux à fermer le robinet et tourner la poignée de la porte des toilettes afin de ne pas gâcher tout ce nettoyage[5]. Qui sera de toute façon réduit à néant[6] à la première main serrée.

D'après Arnaud Balme, Revue *NEON*, avril-mai 2012.

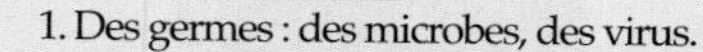

1. Des germes : des microbes, des virus.
2. Tirer son épingle du jeu : réussir à faire des bénéfices.
3. Torchon : tissu utilisé pour essuyer la vaisselle.
4. Agences de santé : responsables de la politique de prévention et de sécurité.
5. Gâcher tout ce nettoyage : perdre les bénéfices du lavage de mains.
6. Le nettoyage sera réduit à néant : les bénéfices du nettoyage seront perdus.

a. Pourquoi, selon Frédéric Saldmann, il est important de bien se sécher les mains après les avoir lavées ?

....

b. Est-ce que le sèche-mains électrique est une bonne solution ? Justifiez votre réponse.

....

c. Quel nouvel appareil est récemment apparu dans les toilettes ?

....

d. En quoi cet appareil est-il mieux que les autres ?

....

e. Que conseille l'OMS ?

....

Expression écrite

5 *Da Vinci*, robot médical

Da Vinci est un robot médical, plus précisément une machine dirigée par un chirurgien pour réaliser des opérations.

À votre avis, quels sont les avantages et les inconvénients de la présence d'un robot dans un acte chirurgical ?
Vous écrirez un texte construit et cohérent sur ce sujet (160 à 180 mots).

....

....

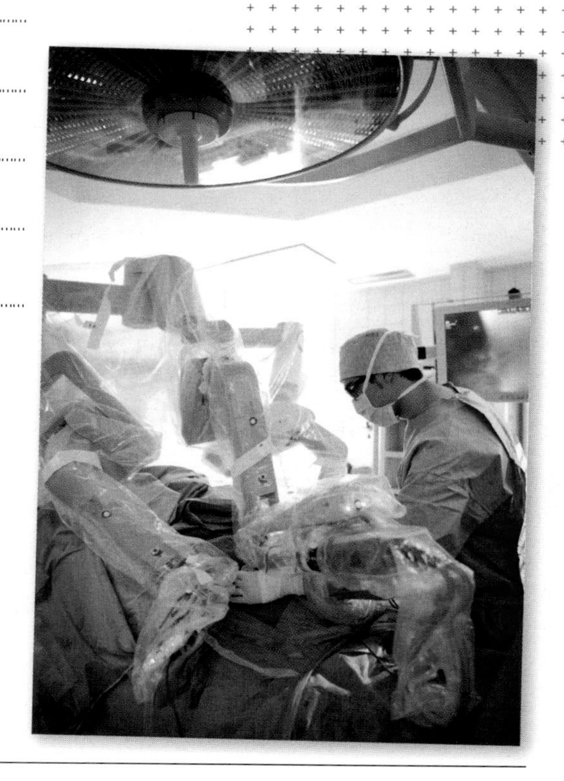

Bilan actionnel

1 Enquête

Avez-vous fait et faites-vous encore attention à votre santé ? Faites trois groupes. Le premier groupe crée un questionnaire sur les habitudes pendant l'enfance, le deuxième sur les habitudes pendant l'adolescence, et le troisième sur les habitudes à l'âge adulte. Interrogez les personnes de la classe et donnez les résultats.

2 Une soif d'application 

Écoutez la présentation d'une nouvelle application smartphone pour la santé. Un(e) de vos ami(e)s est directement concerné(e). Écrivez-lui un mail pour lui en rapporter le contenu.

3 Un nouveau bar à ... 

Après les bars à sourire (pour avoir les dents blanches), ou les bars à sieste, imaginez en petits groupes un nouveau concept que vous présenterez à la classe : un bar à...
Expliquez pourquoi vous proposez ce nouveau concept, comment ça marche et ses bienfaits pour la santé.

Les voyages

UNITÉ 5

Quel voyageur êtes-vous ?

- Se décrire – comprendre un test et y répondre – raconter un événement du passé

Un voyage à la carte

- Exprimer des choix – donner des conseils – nuancer

Le tourisme équitable

- Localiser – proposer des solutions

Les grands explorateurs

- Exprimer des regrets (à l'écrit, à l'oral) – faire des reproches – émettre des doutes

Quel voyageur êtes-vous ?

JE COMPRENDS ET JE COMMUNIQUE

1 Voyage, voyages…

La Presse
Le bénévolat : une autre façon de voyager
Envie de vous rendre utile en participant à des projets de protection de la nature ou encore de prolonger vos vacances à moindre coût ? Le travail bénévole est pour vous.

Voyages virtuels : partir sans quitter son canapé

VOYAGES SOLIDAIRES ET ÉQUITABLES
Voyages itinérants privilégiant le temps de l'échange et de la rencontre avec les populations locales
6 % du prix du voyage sont reversés à des projets locaux de développement

Écotourisme : l'autre façon de voyager

La randonnée itinérante, une autre façon de voyager

2 Voyager autrement 

3 Test : Quel voyageur étiez-vous ?

❶ La première fois que vous avez vu des « voyageurs sacs à dos » c'était :
- ✿ Quand je faisais la découverte des déserts du Maroc à pied avec des amis de l'université.
- ★ Dans l'avion que j'avais pris pour rejoindre mon Club à Djerba et avais décidé de profiter de la formule « bar ouvert ».
- ♥ Alors que je m'entretenais avec un chef de tribu camerounais que j'aidais au moment des récoltes.
- ◆ Sur l'album photos de mon voisin.

❷ C'était il y a longtemps, mais depuis vous avez compris que l'essentiel consistait à :
- ◆ Bien préparer à l'avance son séjour.
- ★ Laisser femme et enfants à la maison.
- ✿ Arriver en pleine forme physique.
- ♥ Avoir de bons contacts sur place.

❸ Les meilleurs guides que vous avez rencontrés furent :
- ♥ Les personnes qui m'ont hébergé(e) contre du ménage que j'ai fait et qui m'ont fait découvrir leur ville.
- ★ Les amis que je me suis faits sur place et avec lesquels j'ai continué d'échanger sur Internet.
- ◆ Le petit *Guide du routard* que je prends systématiquement pour chaque voyage.
- ✿ Ma boussole.

❹ Qu'est-ce qui vous a poussé(e) à voyager ?
- ♥ Je souhaitais m'éloigner du train-train quotidien.
- ✿ J'avais soif d'aventure.
- ★ J'avais envie de rencontrer d'autres personnes qui avaient les mêmes goûts que moi.
- ◆ J'avais mauvaise mine, c'était sur les conseils de mon médecin.

❺ Où avez-vous dormi lors de votre dernier séjour ?
- ♥ Sur un canapé
- ✿ Sous une tente
- ◆ Dans une pension / un gîte
- ★ Sur un bateau

❻ Quel élément de la nature vous a apporté le plus grand sentiment d'évasion ?
- ✿ La savane
- ★ La lune
- ◆ La mer
- ♥ La forêt

❼ Lors de votre dernier voyage :
- ✿ Je suis allé(e) à la librairie du coin.
- ★ Je suis allé(e) à la cueillette d'informations sur Internet.
- ◆ J'ai fait jouer mon réseau social pour organiser mon arrivée.
- ♥ Je n'ai rien fait pour tout découvrir sur place.

Réponses

Vous avez un maximum de ✿ : Vous ne cherchiez pas le confort, vous aimiez les situations inattendues. Avez-vous gardé de cette époque le plaisir de marcher ou restez-vous davantage chez vous ?

Vous avez un maximum de ★ : Vous avez profité un maximum de votre temps libre pour vous libérer de la pression du travail. Vous vous faisiez un maximum d'amis ; les avez-vous conservés ?

Vous avez un maximum de ◆ : Vous aimiez l'organisation et prépariez à l'avance vos séjours à l'étranger. Regardez-vous souvent vos photos de voyages ?

Vous avez un maximum de ♥ : Vous partiez sans vous soucier de votre confort. Vous souhaitiez avant tout allier le plaisir à l'utilité. Avez-vous fait le choix de vivre en ville ?

Vocabulaire

• Noms
la solidarité
un symbole
une contrepartie
une cueillette
une tendance
une curiosité
une tribu
une pension
un puits
un canapé
un palais
un impact
une pension
un gîte
une tente
une savane
un couteau suisse
un blouson
une grève
un ménage
un désert
une poignée
une récolte
une formule

• Adjectifs
équitable
insolite
idiot(e)
social(e)
durable
itinérant(e)
écologique
inattendu(e)
impérial(e)
virtuel / virtuelle
montagneux / montagneuse

• Verbes
se soucier (de quelque chose ou de quelqu'un)
allier
plaire
s'éloigner
consister (à... /en...)
témoigner
rejoindre

• Manières de dire
C'est fou !
prendre quelque chose au second degré
le train-train quotidien
rendre service / des petits services
aller à la cueillette d'informations
le café du coin
avoir soif d'aventures
avoir mauvaise mine

Écrire

Carnet de voyage
Racontez un événement important ou surprenant, survenu durant l'un de vos voyages et dessinez-le.

Comprendre

1. Observez les coupures de journaux (document 1, p. 102) et dites quelles phrases sont vraies.
a. Le voyage bénévole permet de dépenser plus sur place.
b. Dans une formule de voyage équitable, on ne rencontre pas les populations locales.
c. Le but des voyages équitables consiste à respecter l'environnement.

2. Faites le test p. 102. Êtes-vous d'accord avec les résultats ? Si oui, répondez à la question qui accompagne ces résultats, si non, justifiez et commentez vos réponses.

Écouter

• Écoutez le document 2 p.102 et répondez aux questions.
a. Qu'est allé faire Medhi à Besançon ?
b. À quel projet a-t-il participé durant son séjour ?
c. Quelle est la passion de Fatima et quel genre de séjour choisit-elle ?
d. De quelle forme de voyage Anne-Claire nous parle-t-elle ?

Communiquer

L'explorateur : Vous partez loin de chez vous en tenant un carnet de voyage plein de croquis.
L'aventurier : Vous aimez partir en terre inconnue sans savoir où vous allez dormir ni où vous allez manger.
Le culturel : Vous partez à la découverte de monuments célèbres, de villes connues pour enrichir votre culture personnelle.
Le vacancier : Vous ne vous occupez de rien pendant votre voyage, tout est programmé. Vous aimez être à l'aise dans des conditions de séjour agréables.
Le sportif : Les vacances, c'est le moment de pousser vos limites, vous aimez l'action et n'avez pas peur de transpirer.

a. Quels sont les avantages et inconvénients de chacun de ces profils ?
b. De quel type de voyageur vous sentez-vous le / la plus proche ? Pourquoi ?
c. Quelles sont vos activités préférées quand vous êtes en vacances ?

Je prononce

• Les sons [p] et [b]
Écoutez et répétez les mots. Puis classez-les selon que vous entendez [p] ou [b].

[p]	[b]

J'APPRENDS ET JE M'ENTRAÎNE

Grammaire

Les temps du passé (2)

- **Le passé-composé** est utilisé pour parler d'une action ou d'un événement passé et achevé au moment où l'on parle ou d'une suite d'actions ou d'événements dans le passé.
  Ex. : *Je suis allé à la librairie du coin*
  Ex. : *J'ai compris l'essentiel.*
- **L'imparfait** est utilisé pour parler d'une action en train de se réaliser dans le passé ou pour parler d'une habitude dans le passé.
  Ex. : *Vous aimiez l'organisation.*
  Ex. : *Je m'entretenais avec un chef de tribu.*
- **Le passé simple** est surtout utilisé à l'écrit (temps de la narration) pour décrire des événements ponctuels et brefs. On l'utilise à la place du passé composé dans les textes littéraires.
  Ex. : *Il sortit de sa tente, prit sa boussole, marcha vers la route.*
- **Passé composé ou imparfait ?**
  Le plus souvent, la combinaison de l'imparfait et du passé composé permet de situer le cadre ou une première action dont on ne connaît pas les limites précises, (imparfait) par rapport à une autre action ou un moment précis (passé composé).
  Ex. : *Il neigeait quand je suis sorti de ma tente.*
- **Le plus-que-parfait** exprime l'antériorité d'un événement par rapport à un autre événement passé à l'imparfait ou au passé composé.
  Ex. : *Il ne m'avait pas dit qu'il était allé au Maroc.*
  Ex. : *J'ai su qu'ils avaient organisé un voyage sans moi.*

→ **Précis grammatical, p. 148.**

1 C'était le bon temps...

Écoutez les phrases et classez-les dans le tableau suivant.

Imparfait	Passé composé	Plus-que- parfait

2 Composez !

Mettez les verbes entre parenthèses au passé composé et indiquez sa valeur.

Valeurs : A : durée limitée dans le passé – B : antériorité par rapport à une autre action passée – C : événement achevé – D : suite d'actions ou d'événements dans le passé.

a. Hier après-midi je (*dormir*) .... sous la tente au milieu des animaux sauvages. → Valeur : ....

b. Elle (*rencontrer*) .... des gens dans le monde entier, elle (*faire*) .... cinq fois le tour du monde avec son sac à dos. → Valeur : ....

c. La semaine dernière, nous (*faire*) .... nos réservations, nous (*préparer*) .... nos bagages et nous (*mettre*) .... à jour tous nos vaccins. → Valeur : ....

d. Je lis le guide que je (*acheter*) .... avant-hier. → Valeur : ....

e. Le dernier lion du Burundi (*mourir*) .... en 1995. → Valeur : ....

f. Elles (*finir*) .... leurs vacances en travaillant une semaine dans une ferme. → Valeur : ....

3 Ce n'était pas si simple

Lisez ce texte, puis suivez les consignes.

a. Soulignez les verbes conjugués au passé simple et donnez l'infinitif correspondant.

....

....

b. Réécrivez le texte dans une langue plus courante en utilisant le passé composé.

....

....

....

....

Carnet de voyage, jeudi 21, 8 h 30 : La chaleur était toujours aussi pénible. Il n'était pas tombé une goutte de pluie durant toute la nuit. Sara se réveilla encore une fois la première et encore une fois vers 9 h. Elle trouva la carte au même endroit que la veille, sur les marches. Elle la laissa là, elle alla prendre son petit déjeuner dans la cuisine. Sara ne prit pas le temps de faire chauffer son café, elle devait traverser le désert dans la journée, d'un seul trait [...], puis elle alluma une cigarette et retourna s'asseoir sur les marches, près de sa carte.

D'après *Les petits chevaux de Tarquinia*, de Marguerite Duras, © Éditions Gallimard, 1953.

4 Voyages virtuels

Lisez ce texte, puis suivez la consigne.

Une nouvelle forme de tourisme
sans la contrainte du déplacement

Il y a quelques années, le laboratoire Zenyth avait présenté sa « technologie de corps virtuel ».
Elle visait à utiliser nos cinq sens pour donner l'impression de se trouver dans le corps même d'une autre personne. L'ensemble était présenté comme une simulation. Le candidat devait donc se laisser transporter par l'expérience proposée. Il fallait davantage qu'un simple écran et une paire d'écouteurs pour avoir la sensation d'habiter un autre corps que le sien. C'est pourquoi ce système proposait d'utiliser un appareil en trois dimensions, un casque, un système pour produire du vent associé à une grande variété d'odeurs, mais aussi une chaise avec un moteur qui donnait l'impression d'avancer et de reculer.

D'après le site Internet img2.generation-nt.com

Choisissez un des scénarios et faites le récit de votre voyage virtuel :

- une visite de la ville de Milan
- un parcours dans Nantes en 1757
- une promenade dans la Rome antique
- une marche avec Boudha à Hong Kong.

Exemple : *La Rome antique : parcourir la ville à l'époque de Jules César.*
Je marchais vers le Colisée. L'endroit présentait une grande fresque et je pouvais sentir l'odeur de la pluie qui était tombée la veille. Je cherchais l'entrée des souterrains du Colisée quand soudain...

....

....

5 Jeu de rôle 

Vous aviez réservé un hôtel luxueux pour vos vacances et en arrivant, l'agence de voyage vous a installé(e) dans un camping sans confort. De retour chez vous, vous téléphonez à cette agence pour décrire vos conditions sous la tente.

Un voyage à la carte

Je comprends et je communique

1 Au micro de Radio Zénith

2 Sur le site de Tarik

Julie	Lorsque je visiterai le Maroc sera-t-il possible d'en profiter pour passer 2 ou 3 jours en Algérie ? Ce sont mes vacances, mais pour mon travail j'en profiterais bien pour rendre visite à quelques clients là-bas.
Tarik	Quand tu seras sur place, nous nous renseignerons pour ton visa auprès de l'ambassade d'Algérie. Je ne peux rien te promettre, mais tu verras, j'ai organisé un emploi du temps bien chargé pour toi. Dès que tu seras là, nous partirons vers Azrou et ses forêts de cèdres, c'est génial ! Aussitôt que tu auras fini ta visite, tu partiras pour deux jours dans les gorges du Ziz, et tu reviendras ensuite pour une nuit sur la plage d'El gzira. J'ai réservé pour une nuitée seulement, je ne sais pas si tu auras assez de temps pour envisager Alger après ton passage chez nous. La demande de visa est-elle faite?
Julie	Vois ce que tu peux faire, j'ai absolument besoin de rencontrer des clients... Je fonctionne comme ça en vacances : chaque fois que je le peux, je joins l'utile à l'agréable !
Paul	Au fur et à mesure que la date approche, j'ai des questions à vous poser sur l'organisation. Maintenant que j'ai confirmé mon billet pour le 20, est-ce que vous pouvez me confirmer la réservation du taxi à l'aéroport ? Sitôt que je serai chez vous, pourrons-nous programmer le séjour dans le désert dont vous m'aviez parlé ? Ma compagne restera à l'hôtel car elle préfère son petit confort, à moins qu'elle ne change d'avis, ce n'est pas impossible : je vous adresserai un courriel si elle se décidait finalement à m'accompagner. Une dernière chose : maintenant que tout est OK, pourriez-vous m'envoyer votre facture ?
Tarik	Oui, j'adresse une facture en pièce jointe à tous mes clients chaque fois que je reçois leur paiement (les paiements sont sécurisés). Votre femme peut rester à l'hôtel pendant que vous êtes dans le désert, mais c'est vraiment magique, vous verrez, essayez de la convaincre, elle ne sera pas déçue.
Katia	Oui, je confirme, c'est vraiment un bon moment et Tarik est un guide exceptionnel ; j'étais chez lui l'an dernier. Depuis que je suis revenue, je ne pense qu'à y retourner... Lol !
Hicham	Quel est le climat actuellement à Marrakech ? J'ai vu votre site et je me demandais si vous aviez encore des chambres disponibles ? Vous avez une formule « tout compris » ?
Tarik	C'est le temps idéal : c'est le printemps, ni trop chaud, ni trop froid. Oui, il nous reste 2 chambres pour deux personnes. Le ryad dans lequel elles se trouvent possède tout le confort moderne, mais nous avons pris soin d'utiliser le plus de matériaux traditionnels possible lorsque nous avons fait les travaux nécessaires pour le rénover. Il s'agit plutôt d'une formule « écotourisme à la carte » comme vous pouvez le constater sur notre site. Ce n'est pas non plus un gîte dès lors que nous assurons aussi les repas et le petit déjeuner. Pendant que vous séjournerez ici, vous pourrez aussi profiter des activités culturelles mais aussi des visites sur des sites peu connus du grand public. Notre formule « à la carte » ressemble à celle de vos chambres d'hôtes, mais, en plus, nous vous proposons nos services pour effectuer des visites ou des randonnées dans des endroits naturels protégés, et bien entendu dans le respect de l'environnement et des habitants. Et tandis que je fais le guide pour mes clients, mon épouse s'occupe de la restauration et vous prépare des plats traditionnels. Rendez-vous sur notre site pour choisir la formule qui vous convient le mieux. Merci ! Et à bientôt, sous le soleil du Maroc.

Vocabulaire

• Noms
une pâtisserie
une racine
une animation
un climat
une discothèque
une gorge
une facture
une excursion
un paiement
une facture
un chameau
un ryad
une expatriation
un coût
un budget
un entrepreneur

• Adjectifs
traditionnel / traditionnelle
déçu(e)
authentique
sécurisé(e)
disponible
inoubliable
administratif / administrative

• Verbes
se mêler de quelque chose
s'empresser de...
promettre
mélanger
inverser
aboutir
rénover

• Manières de dire
(du) sur mesure
à la carte
allier l'utile et l'agréable
inverser les rôles
le tourisme de masse

Écouter

• Écoutez le document 1 p. 106, puis répondez aux questions.

a. Tarik a passé son enfance :
❒ au Québec.
❒ en France.
❒ en Tunisie.

b. Tarik veut :
❒ faire découvrir la culture du Maroc aux touristes.
❒ construire des hôtels près de la mer.
❒ préserver la nature.

c. Quels conseils Tarik donne-t-il à de futurs entrepreneurs ?
....

Comprendre

• Lisez le texte 2 p. 106, puis répondez par vrai ou faux. Justifiez vos réponses par une phrase du texte.

	Vrai	Faux
a. Julie souhaite découvrir la Tunisie après son passage par le Maroc.	❒	❒
b. Tarik adresse toujours une facture à ses clients avant de recevoir le paiement.	❒	❒
c. Paul n'a pas encore confirmé le billet de sa femme.	❒	❒
d. Katia est la femme de Tarik.	❒	❒
e. Tarik est aussi guide dans un grand hôtel.	❒	❒

Communiquer

Consultez le programme de l'hôtel club où vous logez pendant vos vacances en Tunisie.

Puis mettez-vous par deux et choisissez vos activités. Vous donnerez votre emploi du temps et vous expliquerez ce que votre partenaire a prévu de faire à la même heure. Vous utiliserez les conjonctions de temps.
Ex. : *Dimanche, pendant que ma camarade fera de la natation, j'ai choisi de déguster du thé.*

Écrire

Objectif : un tourisme respectueux de l'environnement

Écrivez la liste des conseils à donner aux touristes que vous recevez chez vous. Exemple : « Chers amis touristes, avant de partir en excursion, veillez à bien éteindre les lumières.... »

HÔTEL CLUB AGADIR – Votre programme à la carte !

Samedi		Dimanche	
8 h 15 – Cours d'aquagym **10 h – 12 h 30** Rallye photo **12 h 30** repas musical folklorique	**8 h 15** – Petit déjeuner des voyageurs **10 h** – Cours de stretching **12 h 30** Repas local sous la tente	**9 h** – Natation **10 h 30** – Atelier de calligraphie arabe **12 h** Repas avec jeux	**9 h** – Dégustation de thés **11 h** – Exposition des photos de vos vacances **12 h** Repas traditionnel

Je prononce

• Le son [k] et Le son [g]

1. Écoutez et entourez le mot que vous entendez.

[k]	[g]
classe	glace
quand	gant
croc	gros
cri	gris
coût	goût
quai	gai

2. Écoutez. Entendez-vous le son [g] ?

J'APPRENDS ET JE M'ENTRAÎNE

Grammaire

L'expression du temps

1. Des expressions de temps permettent :
- d'exprimer l'antériorité, la postériorité ou la simultanéité : *avant de, avant (1800), au même moment, après*
- d'indiquer les limites d'une action : *de (1800) à (1900), jusqu'à (1800), jusqu'en (1800)*
- de situer des événements : *à cette époque, autrefois, il y a, cette année là, en (1800)*
- de dater l'origine d'une action : *dès 1800, à partir de 1800, cela fait (dix ans) que...*
- d'exprimer la succession d'actions : *d'abord, ensuite, enfin*

2. Les conjonctions de temps relient deux phrases entre elles. Elles établissent un lien temporel entre les éléments qu'elles unissent.
Alors que / à mesure que / après que / au fur et à mesure que / au moment où / aussitôt que / avant que / chaque fois que / comme / depuis que / dès que / d'ici à ce que / durant que / jusqu'à ce que / le plus tôt que / lorsque / maintenant que / pendant que / quand / sitôt que / tandis que.
Ex. : *Pendant que tu seras sur place, nous nous renseignerons pour ton visa.*

avant que, jusqu'à ce que, en attendant que sont suivies du subjonctif.
Ex. : Avant que nous *partions*, je te téléphonerai.

1 Le temps qui convient

Lisez le mail que Hicham a adressé à son amie et mettez les verbes entre parenthèses au temps qui convient.

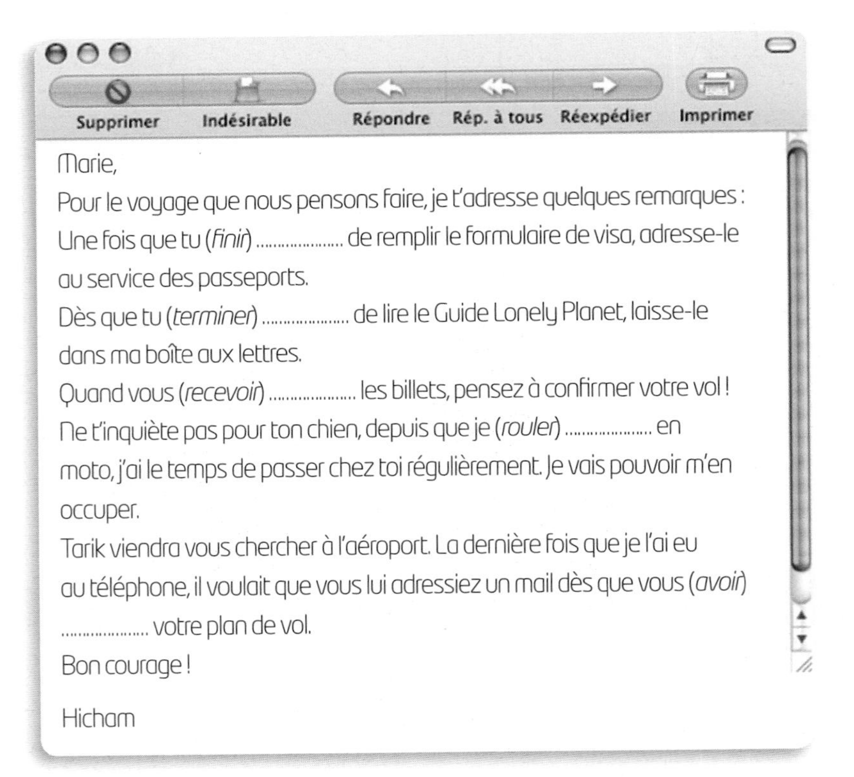

Marie,

Pour le voyage que nous pensons faire, je t'adresse quelques remarques :
Une fois que tu (*finir*) .... de remplir le formulaire de visa, adresse-le au service des passeports.
Dès que tu (*terminer*) .... de lire le Guide Lonely Planet, laisse-le dans ma boîte aux lettres.
Quand vous (*recevoir*) .... les billets, pensez à confirmer votre vol !
Ne t'inquiète pas pour ton chien, depuis que je (*rouler*) .... en moto, j'ai le temps de passer chez toi régulièrement. Je vais pouvoir m'en occuper.
Tarik viendra vous chercher à l'aéroport. La dernière fois que je l'ai eu au téléphone, il voulait que vous lui adressiez un mail dès que vous (*avoir*) .... votre plan de vol.
Bon courage !

Hicham

2 Bio express

Rédigez un court texte sur la vie de Tarik à partir des informations suivantes. Utilisez des conjonctions de temps.

1966 : naissance à Mantes-la-Jolie
1983 : baccalauréat Lettres et Arts
1995 : installation au Maroc
2000 : rénovation du ryad
2010 : accueil des premiers clients
2012 : rénovation du site Internet de l'entreprise.

....

3 Après...

À partir de chaque paire d'illustrations, imaginez une petite histoire. Faites des phrases à l'oral qui expriment des rapports d'antériorité.

Exemple : *Après avoir réservé mon billet, j'ai pris l'avion pour le Canada.*

A1

A2

B1

B2

C1

C2

D1

D2

4 Un bon conseil

Un de vos amis veut partir en vacances « à l'aventure » dans le nord de l'Afrique, en emportant le minimum dans son sac à dos.
Donnez-lui des conseils pour lui dire ce qu'il doit prévoir avant son départ, et ce qu'il doit faire pendant son séjour.

5 Ma petite entreprise

Complétez le récit en utilisant :
à partir du - depuis - pendant - en - après - dès - dans - au.

.... septembre 2001, j'ai créé à Liège une petite entreprise de services pour aider les personnes âgées. Un mois ...., mon ami Thomas a décidé de me rejoindre. .... le mois de janvier 2008, j'ai engagé deux collaborateurs pour une durée d'un an. Ils ont finalement commencé seulement .... mois de septembre et cela fait quatre ans qu'ils travaillent pour moi ! .... trois mois maintenant, nous avons aussi des stagiaires et les affaires vont vraiment bien ; alors nous allons ouvrir, ... six mois, de nouveaux bureaux à Bruxelles et Anvers.
Ma nouvelle collègue a travaillé chez notre principal concurrent .... quatre ans, c'est dire qu'elle connaît bien le marché et le travail. .... du 1er janvier, elle travaillera pour moi !

6 Alors, raconte... 

Écoutez le dialogue, puis lisez les paroles d'Anne-Claire et de Lucile. Classez-les selon qu'elles expriment un rapport d'antériorité, de postériorité ou de simultanéité.

a. Depuis que j'ai repris le travail, moi, je ne sais plus où j'en suis.
b. Je suis allée poser nos affaires chez Tarik, pendant que Guillaume cherchait une voiture de location.
c. Oui, on en a profité un maximum jusqu'à ce que les vacances se terminent.
d. Avant que nous repartions, Tarik et sa femme avaient organisé un repas traditionnel.
e. En attendant que tu me montres tes photos, je vais travailler un peu.

antériorité	postériorité	simultanéité
....	....	....
....	....	....

Le tourisme équitable

JE COMPRENDS ET JE COMMUNIQUE

1 Une autre façon de voyager

2 Quand le voyageur se fait villageois

VOUS AIMEREZ
- la présence attentive des villageois, leur volonté de vous faire découvrir leur quotidien
- le vert magnifique autour des lagunes, les énormes fleurs le long des routes et sur les eaux calmes
- les silhouettes des pêcheurs sur les eaux, autour de leurs longues pirogues
- la pêche à bord des pirogues ou alors depuis la plage
- les palmiers qui produisent de l'huile dans une des plus belles zones humides de l'Afrique de l'Ouest
- la ville de Ouidah, ses rues à l'arrière du centre historique.

S'INSCRIRE à www.tourismeequitable.com

• Durée : 9 jours • Type : excursion

3 Le tourisme équitable et solidaire, qu'est-ce que c'est ?

Le tourisme équitable et solidaire, c'est l'ensemble des tourismes « alternatifs » qui mettent au centre du voyage les hommes et les rencontres. L'objectif du tourisme équitable et solidaire, c'est de mettre en place une activité touristique qui aide au développement local des régions d'accueil, dans le cadre d'un partenariat étroit avec les communautés locales et leurs représentants. Ce n'est donc pas du tourisme humanitaire dont le but est de venir au secours de gens (par exemple un hébergement contre des heures de travail dans un hôpital). Accueilli chez l'habitant ou dans des hébergements proches (village, gîte, campement, etc.), le touriste « équitable » rencontre les gens qui vivent sur place, il favorise l'économie locale (guides, nourriture, transport, artisanat…) dans le respect des populations, de leur culture et de leur environnement. Une partie du prix du voyage sert à financer des projets de développement décidés et gérés par les communautés. Car l'implication des populations locales dans les différentes étapes du projet touristique est au cœur du principe de cette forme de tourisme. Le respect de la personne, des cultures et de la nature mais aussi une répartition plus équitable des ressources. Voilà les principes de ce genre de tourisme nouveau. Le tourisme équitable et solidaire implique :
– un sentiment de responsabilité vis-à-vis de l'environnement ;
– une volonté d'avoir d'autres relations avec les populations locales ;
– un engagement personnel.

4 « Responsable, moi ? Toujours ! » 

Vocabulaire

• Noms
une logique
le développement
un territoire
un accueil
un camp(ement)
le respect
une étape
une répartition
une ressource
une implication
un gâchis
un hébergement
un stéréotype
un village
un villageois

• Adjectifs
solidaire
alternatif / alternative
humanitaire
local(e)
occidental(e)

• Verbe
respecter

• Manières de dire
Ouvre les yeux !
C'est plus facile à dire qu'à faire
C'est la honte
(c'est une honte)

Écrire

À partir du document 2 p. 110, rédigez un courriel à vos amis pour résumer votre séjour.

En voyage au Bénin, j'ai pu découvrir....

Je prononce

• Masculin ou féminin ?

1. Écoutez et dites si vous entendez le son [t] ou [d] à la fin du mot.

2. Écoutez et répétez. Ces mots sont-ils au masculin ou au féminin ?

	masculin	féminin
étrangère		
policière		
entier		
familier		
grossier		
caissière		
cuisinière		

Comprendre

1. Lisez le document 3 p. 110, puis répondez par vrai ou faux.

	Vrai	Faux
a. Le tourisme équitable, c'est un choix des deux parties : le touriste et la population.	❐	❐
b. Le touriste équitable doit chercher une famille d'accueil.	❐	❐
c. « Tourisme équitable » et « tourisme humanitaire », c'est la même chose.	❐	❐
d. Un touriste équitable, c'est quelqu'un qui vient travailler chez l'habitant.	❐	❐
e. Un touriste équitable peut être logé à l'hôtel.	❐	❐

Écouter

• Écoutez le document 4 p. 110. C'est une conversation entre Manon et Paul. Relevez les arguments de Manon pour le tourisme équitable.

Puis relevez les arguments de Paul contre cette forme de tourisme.

Communiquer

a. Connaissiez-vous le tourisme équitable ? Qu'en pensez-vous ?
b. Et vous, pratiquez-vous le « tourisme de masse » ? Avez-vous l'impression d'être un(e) « mauvais touriste » ?
c. Quels sont les gestes et attitudes respectueux à avoir lorsque l'on voyage à l'étranger selon vous ?

J'APPRENDS ET JE M'ENTRAÎNE

Grammaire

Les prépositions de lieu

- Les prépositions les plus utilisées sont ***à, chez, dans, de, entre, jusque, hors, par, pour, sans*** et ***vers***.
Ex. : *Regarde tous ces immeubles face à la mer, on se croirait* ***dans*** *nos banlieues.*
Remarque : La préposition de lieu est un mot invariable.
- Pour se situer dans un pays, une ville ou un région, on utilise :
à + ville
en + nom des pays/État féminin ou commençant par une voyelle, région (au féminin)
au + nom de pays et d'État (au masculin et au singulier)
dans + nom de région (au masculin)

1 En passant par la Lorraine

Complétez les textes avec la préposition qui convient. Attention à faire les contractions si nécessaire (ex. : à le → au).

a. Il y a un documentaire ce soir .... (*dans / sur*) les pays francophones africains. Il y aura de nombreuses idées de voyages, ... (*de / par*) la Tunisie .... (*à / en*) Djibouti, en passant .... (*par / sur*) le Bénin, c'est super ! Du coup, on annule notre soirée .... (*au / en*) cinéma. On se fait une soirée télévision .... (*entre / chez*) moi !

b. Chez nous, on voyage .... (*en / à*) voiture, ... (*en / par*) train et le plus souvent .... (*en / par*) avion, mais on pourrait profiter de ces vacances pour faire de la randonnée et circuler un mois .... (*à / en*) pied, ... (*par / à*) vélo ou .... (*en / à*) cheval ? Qu'en dis-tu ?

c. Je suis trop fatigué pour sortir. Je suis passé .... (*au/chez*) supermarché et .... (chez / *à*) le boulanger, mais avant j' étais allé .... (*chez / à*) le coiffeur, tu imagines ?

d. La ligne 12 qui passe .... (*par / pour*) la Concorde est fermée.

2 Ici et ailleurs

Monsieur Route a décidé d'aller dans 10 lieux/pays durant ses vacances « équitables ».

Sur la carte du monde p. 12, choisissez les lieux de ses prochaines étapes et écrivez son planning. Attention aux prépositions de lieu.

....

....

3 Quelles solutions proposer ?

De **Jérémy** Lun. 10 déc, 11:58
Interdire l'avion n'a pas de sens si l'on continue de polluer dans tous les autres aspects de notre vie. Il faut limiter nos déplacements, c'est tout, pour éviter de polluer davantage. On peut aussi planter plus d'arbres... On ne peut pas faire grand-chose d'autre à mon avis, qu'en pensez-vous ?

De **Léo** Mar. 27 mai, 3:32
Si l'on supprimait tous les vols dans le monde, les émissions de CO2 ne baisseraient que de 2 %, selon l'agence internationale de l'Énergie.

De **Anna** Mer. 4 juin, 9:48
Énorme mensonge ! Au total pour l'Europe les émissions seraient de 12 % au moins mais peut-être beaucoup plus car les émissions en altitude seraient à multiplier par 3 ou 5. "On nous cache tout, on nous dit rien", c'est moi qui vous le dis...

De **amateur de trains de nuit** Mar. 1er juil, 11:18
Évidemment qu'il faut limiter au maximum les déplacements en avion. Voyager en Europe en train de nuit ce n'est pas la fin du monde, ça fait même partie de l'aventure quand on y va entre amis !

De **Éloïse**, Jeu. 10 déc, 10:41
Bonjour à tous,
Je suis contente de trouver un forum sur ce sujet car je suis dans cette situation : je souhaite partir au Pérou prochainement afin d'y faire un stage de gestion et protection des milieux naturels. Pour protéger la nature j'ai choisi d'y aller en bateau, et j'en suis ravie, car l'idée d'une longue traversée me plaît beaucoup. Qu'en pensez-vous ?

Mais vous avez peut-être d'autres pistes ?

Inscrivez-vous et répondez à la question posée par Éloïse :

....

....

4 Un tour du monde

Le guide touristique des vacances équitables

Découvrez nos offres de séjours !

- Au Brésil
- À Athènes et dans le Péloponnèse
- À Budapest et en Hongrie
- En Côte d'Ivoire
- Au Cameroun
- À Marrakech et dans le sud marocain
- En Égypte et au Kenya
- À la Réunion
- Au Québec
- Au Sénégal

À partir de ces exemples, proposez un circuit touristique dans différents pays.

....

....

5 Un long voyage

Remettez les phrases dans l'ordre pour retrouver le texte d'origine. Faites attention aux prépositions et aux noms de pays.

a. J'ai fait l'an dernier un beau voyage. Je suis parti de Montréal

b. Égypte car cela faisait longtemps que je voulais voir les pyramides. J'ai continué mon voyage en direction du

c. routes de l'Espagne, de Malaga à Séville c'était une découverte là aussi. Puis direction

d. au Sénégal en traversant l'Atlantique. De là j'ai rejoint

e. Paris, pour reprendre un vol qui m'a ramené aux

f. Maroc, avant de remonter par les

g. le Burkina Faso et suis parti après quelques jours en camping pour l'

h. États-Unis, avant de retrouver Montréal : Quelle aventure, les amis !

→ Ordre : a - ....

6 Faites la promotion de votre pays

En vous inspirant de la publicité ci-dessous, rédigez une publicité pour votre pays ou votre région.

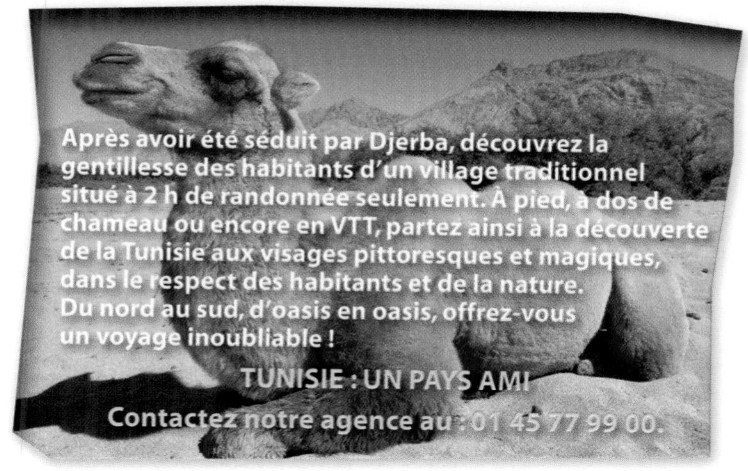

Les grands explorateurs

Je comprends et je communique

1 Blog de Claude/ Explorer le monde

J'aurais voulu être un artiste…, fredonnait un chanteur célèbre. Eh bien, moi, c'est explorateur que j'aurais aimé être. Et il m'arrive parfois, m'assoupissant sur la banquette du RER qui me ramène vers la cité que je n'ai jamais quittée, de ne pas chercher à lutter contre mes paupières qui se ferment. Là, je m'imagine parcourir le monde… Comme j'aurais aimé voyager sur des océans inconnus, affronter la houle, le froid et surmonter la peur des mers hostiles et des croyances qui affirmaient qu'au-delà des horizons régnait le vide, un gouffre dans lequel seraient tombés les navigateurs trop audacieux. J'aurais pu découvrir des continents entiers, comme le fit Amerigo Vespucci, l'Amérique dont on ne soupçonnait pas l'existence. Sur les traces de ceux qui sont devenus célèbres, j'aurais traversé les mers, me serais éloigné, comme l'avait fait Vasco de Gama en 1498, des routes contrôlées alors par les Italiens, pour rejoindre l'Orient. Je ne me serais pas égaré comme le fit Cabot qui découvrit Terre-Neuve, ou encore Jacques Cartier qui, en cherchant son passage vers le nord-ouest, débarqua au Canada. Non, moi, comme Magellan, j'aurais fait le tour du monde, devançant les pas de Phileas Fogg et de son fidèle Passepartout.
Depuis le Moyen Âge jusqu'au XVIIIe siècle, les explorateurs n'étaient pas seulement motivés par le seul désir du voyage, ils partaient à la recherche de nouveaux produits et objets de valeur (or, soie, épices ou thé) pour le commerce. Je sais bien que la compétition entre les pays d'Europe faisait aussi rage, que la vie à bord n'était pas facile, entre les maladies ou les attaques de pirates, mais j'aurais fièrement gardé le cap et, à mon retour au pays, j'aurais écrit et fait découvrir à ceux qui n'auraient jamais l'occasion de partir le récit de mes aventures et de la découverte de ces territoires et cultures étranges.

>> COMMENTAIRES

Kim : Rassure-toi, Claude, tu n'as pas besoin de t'imaginer revenir trois siècles en arrière pour rêver d'exploration ! Moi j'ai longtemps rêvé en lisant *Cinq semaines en ballon* ou *Voyage au centre de la Terre*. Je me serais bien vue au côté du capitaine Nemo dans son *Nautilus*. Il se battait contre tous ces monstres dont certains existent bien à de très grandes profondeurs… Je ne sais pas si j'aurais été à la hauteur ?! J'aurais aussi adoré pouvoir m'engager au côté du Commandant Cousteau. S'il ne m'avait pas acceptée, je me serais glissée secrètement dans son *Calypso* et me serais liée d'amitié avec ses marins. J'aurais tout fait pour participer à la découverte de ces fonds marins inconnus et lutter pour la protection des baleines ou des requins. Sais-tu que l'on découvre encore aujourd'hui des espèces nouvelles au fond des océans… Notre planète est loin d'avoir livré tous ses secrets !

Alice : Voici un beau site où les regrets se mêlent aux rêves. Félicitations ! Moi, étant fascinée par les images d'Amstrong marchant sur la Lune ou par les séries de science-fiction comme *Star Trek*, j'aurais aimé aller dans l'espace, être la première femme à marcher sur une autre planète mais je n'étais de toute manière pas assez douée à l'école. Cela dit, je ne renonce pas à rêver, car je viens de voir sur un site qu'il sera bientôt possible de partir en voyage dans l'espace… alors vous voyez, que ce soit sur Terre, en mer ou dans l'espace, il ne faut pas vivre avec ses regrets, il y a encore plein d'endroits à découvrir pour nous tous !!!

2 Interview d'un explorateur 

Vocabulaire

• Noms
une carrière
une paupière
une banquette
une houle
un gouffre
un regret
un explorateur /
une exploratrice
une satisfaction
une variété
un pirate
un monstre
une baleine
un requin
une espèce
un marin
une croyance

• Adjectifs
audacieux / audacieuse
motivé(e)
doué(e)
hostile

• Verbes
s'engager
fredonner
s'assoupir
affronter
débarquer
obliger
devancer

• Mot invariable
davantage

• Manières de dire
se lier d'amitié
pas question !
si je puis dire

Comprendre

• Lisez les commentaires sur le blog (document 1 p. 114) et répondez par vrai ou faux.

	Vrai	Faux
a. Dans son blog, Claude fait partager ses réactions sur ses nombreux voyages.	❒	❒
b. Claude a écrit le récit de ses aventures.	❒	❒
c. Comme tous les autres explorateurs, Claude accepterait de se perdre en mer.	❒	❒
d. Kim pense que l'on peut encore faire des découvertes à notre époque.	❒	❒
e. Alice accepte de vivre avec ses regrets.	❒	❒
f. Alice n'avait pas de bons résultats scolaires.	❒	❒

Écouter

• Écoutez le document 2 p. 114, puis répondez aux questions.

a. Que signifie la phrase « Si je devais refaire mon parcours, je ne changerais pas une virgule... » ?

b. « Aujourd'hui tout le monde peut voir ces magnifiques images » De quelle invention parle-t-il ?
❒ la télévision ❒ la caméra sous-marine ❒ l'île de la Réunion

Écrire

Voyager dans l'espace, c'est votre rêve ?
La marque Axe organisait un concours dont le prix était un voyage spatial.
Vous n'avez pas été sélectionné(e).
Vous écrivez une lettre en exprimant vos regrets aux organisateurs et vos espoirs de participer enfin au voyage.

Communiquer

Avez-vous l'âme d'un explorateur / d'une exploratrice ?
Avons-nous tout découvert sur notre planète selon vous ?
Argumentez.

Je prononce

• les sons [e] et [ɛ]
Écoutez et répétez.
j'étais – il aurait – elle aurait – terre – nouvelle – une carrière – la banquette arrière – la semaine dernière

J'APPRENDS ET JE M'ENTRAÎNE

Grammaire

Le conditionnel passé

- **Emploi**

Le conditionnel passé est un temps composé qui permet d'exprimer des regrets, de faire des reproches ou des suppositions et d'imaginer des situations irréelles dans le passé.

Ex. : *Si j'avais su que c'était si passionnant, je n'aurais jamais pris ma retraite.* (regret)

Ex. : *Moi, je ne me serais pas égarée, si j'avais été à la place de Cabot* (irréel passé)

On utilise aussi le conditionnel passé pour exprimer l'incertitude.

Ex. : *Selon la police, il se serait perdu en mer.*

Il peut exprimer une hypothèse non réalisée dans le passé : **si + plus-que-parfait, conditionnel passé**.

Ex. : *Si vous étiez venus plus tôt, vous auriez vu les explorateurs.*

Certains verbes au conditionnel passé peuvent exprimer le regret (*vouloir, aimer*) ou le reproche (*pouvoir, devoir*). **Conditionnel passé + verbe à l'infinitif**

Ex. : *J'aurais voulu être un artiste.* (regret)

Ex. : *J'aurais aimé explorer les mers avec le commandant Cousteau* (regret)

Ex : *Tu n'es pas venu ; tu aurais pu prévenir !* (reproche)

Ex. : *Tu aurais dû prendre une boussole !* (reproche)

Ex. : *Tu aurais quand même pu lui téléphoner.* (reproche)

- **Formation**

Il se forme avec les auxiliaires ***avoir* ou être au conditionnel présent + participe passé** du verbe.

Ex. : *J'aurais aimé aller dans l'espace.*

→ **Tableaux de conjugaison, p. 154-159**

Le commandant Cousteau

1 Porté disparu

Un journaliste a retrouvé le carnet de bord d'un grand explorateur. Récrivez ce texte au conditionnel présent et passé. Attention à changer le sujet si nécessaire.

(Ex. : nous n'avons → ils n'auraient)

Carnet de bord du capitaine, J + 200 jours :

« Les hommes **sont** faibles, la maladie **gagne** du terrain et depuis plus de 2 mois n'**avons** pas **vu** l'ombre d'une terre. L'exploration qui **doit** nous emmener en Asie s'est perdue. L'équipage n'**a** pas **mangé** depuis 10 jours et **commence** à se révolter. J'**entends** dire que nous **avons fait** de mauvais choix. La quantité d'eau **a diminué** de manière anormale. Les vents **ont été** violents et le bateau **a eu** du mal a passé le Cap Horn. Mon ami Vespucci **a eu** plus de chance. Il **a eu** des vents calmes durant les premières semaines et **a bénéficié** d'une mer peu agitée. Il **a fait** une escale et **a pu** faire le plein de nourriture et d'eau dans un petit port. Le moral de son équipage **a été** au beau fixe jusqu'alors et il n'**est** pas **tombé** sur des bateaux hostiles. Pour moi, les choses **ont été** plus compliquées en raison d'une mauvaise route au départ. Je **vais réunir** les membres du bateau et je **vais** leur expliquer la situation. Je **vais essayer** de faire route vers l'est. Je ne **vais** plus **pouvoir** tenir à jour mon carnet de bord car mes forces m'**abandonnent**. »

D'après le capitaine, les hommes seraient faibles, la maladie ....

2 Si j'avais su...

Terminez ces phrases sur le thème qui vous est proposé, en utilisant le conditionnel passé.

Ex. : *En y repensant... / thème : vie de famille → En y repensant, j'aurais aimé avoir une dizaine d'enfants. Je les aurais emmenés faire le tour du monde sur un bateau.*

a. Si j'avais su... / thème : vie professionnelle

....

b. Comme je regrette... / thème : activités de loisir

....

c. Vous n'auriez pas dû partir à l'aventure, vous... / thème : organisation du voyage

....

d. Vous avez eu tort ... / thème : situation familiale

....

e. C'est vraiment dommage, il... / thème : carrière et emploi

....

f. Avec le recul... / thème : santé

....

3 Des regrets, moi ? Jamais !

Avoir des regrets, c'est parfois une bonne étape pour prendre un nouveau départ.

a. Lisez le texte de Georges Perec, puis reformulez les regrets de l'écrivain à la fin de sa vie en utilisant le conditionnel passé.

Ex. : *Il serait monté en bateau mouche.*

50 choses que je voudrais faire avant de mourir
(extraits)

Je voudrais monter en bateau mouche.
Me décider à jeter un certain nombre de choses que je garde sans savoir pourquoi je les garde.
Ranger ma bibliothèque une bonne fois pour toutes.
Faire l'acquisition de divers appareils électroménagers.
Une machine à laver le linge, par exemple.
M'arrêter de fumer avant qu'un médecin me dise : vous savez...
M'habiller de façon différente, me faire confectionner un costume trois-pièces avec un gilet.
Aller vivre à l'hôtel.
Vivre à la campagne.
Aller vivre assez longtemps dans une grande ville étrangère, à Londres, par exemple.
Mais ça, je le ferai sans doute. [...]
Aller au-delà ou au moins jusqu'au cercle polaire. [...]
Faire un voyage en sous-marin.
Faire un long voyage sur un navire.
Faire un voyage en ballon, en dirigeable.
Aller aux îles Kerguelen. [...]

Georges Perec, extrait de l'émission de Bertrand Jérôme, *Mi-figue, mi-raisin*, sur France-Culture, novembre 1981.

b. Dressez une liste de vos principaux regrets à la date d'aujourd'hui.

Ex. : *J'aurais voulu aller en Patagonie.*

4 Rien n'est moins sûr...

Vous avez des doutes sur l'information donnée dans les titres de ces journaux. Modifiez-les pour que les lecteurs comprennent que l'information n'est pas vérifiée.

Exemple : Une nouvelle planète a été découverte près de Jupiter.
→ *Une nouvelle planète **aurait été découverte**...*

Découverte d'une forme de vie sur Mars

UN BATEAU A DISPARU PRÈS DU TRIANGLE DES BERMUDES

Le commandant Cousteau abandonne ses recherches.

De nouvelles espèces de poissons sont apparues sur l'île de la Réunion après l'éruption du volcan.

5 « Si j'avais été.... »

Faites deux groupes (hommes et femmes) et expliquez à l'oral pourquoi vous auriez aimé être un homme à la place d'une femme (ou une femme à la place d'un homme).

Ex. : ***J'aurais aimé être une femme car**, d'après les statistiques, mon espérance de vie serait plus grande que celle d'un homme....*

6 Une famille d'explorateurs

Écoutez la bande-annonce de cette émission de télévision.

Vous avez participé à l'émission avec votre femme /mari, mais vous avez été éliminés dès votre première mission. Imaginez quels reproches vous pourriez adresser à votre partenaire et jouez la scène avec votre voisin(e).

Voyages extrêmes

Des sensations fortes

La **rafting** est à la mode. Né au Colorado dans les années 1950, le rafting est apparu en France dans les années 1980 notamment dans le Verdon, dans les Alpes ou en Savoie.
Sport d'eau vive, le rafting permet de se rafraîchir tout en faisant le plein de sensations fortes.
Alors réservez dès maintenant votre séjour !

Le **canyoning**, c'est aussi du sport d'aventure : descentes à la corde, glissade le long des rochers, nage, escalade, le tout dans un environnement incomparable...

Tout en haut !

Envie de vacances pas comme les autres ? Offrez-vous un séjour de découverte de **la France en montgolfière**. Loin du bruit, de la foule, ces voyages apportent une vraie sensation de tranquillité !
Le silence et le vent qui vous poussent vers de superbes paysages devraient vous convaincre de tenter l'aventure.
Découvrez la France vue du ciel !

Les dents de la mer...

Repoussez vos limites et partez **explorer le monde des requins baleines**.
Allez découvrir ces fabuleux animaux dans un voyage extrême aux Seychelles.
C'est le lieu de passage de ces requins dont la taille peut atteindre 18 mètres de long.
Un voyage qui allie la beauté des paysages aux sensations extrêmes de la plongée sous-marine.
Vous prenez le risque ?

À l'autre bout de la Terre

Voici un voyage inoubliable ! Vous aimez les grandes découvertes ?
Participez à une **expédition polaire**. La Terre de Graham, en Antarctique, est rarement visitée. Vous pourrez rencontrer une faune tout à fait étonnante sur la glace...
Si vous n'avez pas peur du grand froid, inscrivez-vous à ce séjour extrême.

1. Lisez ces propositions de vacances. Que pensez-vous de ces séjours ?
2. Quel séjour préférez-vous ? Pourquoi ?
3. Ces vacances « extrêmes » sont-elles populaires dans votre pays ?

Compréhension orale

1 Écoutez et répondez aux questions. 

1. De quel document s'agit-il ? Cochez la bonne réponse.

❒ Un reportage radio
❒ Une annonce publique
❒ Un cours
❒ Une visite touristique guidée

2. De quelle(s) science(s) parle la personne ? Cochez la ou les bonnes réponses.

❒ géographie ❒ histoire ❒ biologie ❒ météorologie ❒ écologie

3. De quelle région est-il question ?

....

4. Reliez chaque début de phrase à sa fin.

a. 1202, c'est le début d'un conflit avec les Anglais •
b. La proximité géographique de la Normandie avec l'Angleterre •
c. De nombreux Normands vont •
d. La Normandie, c'est également des écrivains connus •
e. Cet après-midi nous nous arrêterons dans une ferme biologique •

• où vous pourrez faire vos achats.
• comme Flaubert ou Maupassant qui ont habité Rouen.
• qui se terminera en 1204.
• ça explique sans doute toutes ces guerres.
• découvrir le monde.

Production orale

2 Un voyage mal organisé

Vous venez chercher les billets que vous avez commandés dans votre agence de voyages. Le responsable de l'agence vous informe qu'en raison d'une panne informatique, il est dans l'impossibilité de vous donner vos billets. Votre voyage est prévu dans 2 jours et vous avez déjà réservé votre logement. Vous demandez des explications.

(L'examinateur joue le rôle du responsable de l'agence de voyages.)

Compréhension écrite

3 Lisez le document et cochez les bonnes réponses

Justifiez chaque réponse exacte avec une phrase du texte.

a. Les touristes :
❒ n'ont souvent aucun respect pour la nature.
❒ n'ont pas à jeter de mouchoirs.
❒ ont contourné des rochers naturels.

....

b. Un geste de tous les jours :
❒ peut être catastrophique pour la nature quand il est imité par les autres.
❒ peut être un facteur de pollution.
❒ peut nous faire profiter des merveilles de notre planète.

....

c. Pour limiter l'impact de nos voyages sur l'environnement :
❒ il faut prendre l'avion.
❒ il faut réfléchir sur nos moyens de transport.
❒ il ne faut plus jeter nos peaux de banane.

....

Fini le stress de la vie citadine, vous êtes parti renouer avec la nature. Vous contemplez un paysage en songeant à la beauté de notre planète. Soudain, une envie de pipi. Vous contournez un rocher, et là... Apparemment, vous n'êtes pas le premier à être passé par là ! Mouchoirs en papier, canettes écrasées... Ah, ces touristes, ils n'ont aucun respect pour la nature !

Mais vous, avez-vous pensé à ce qu'allait devenir la peau de banane que vous venez de jeter ? Elle mettra de huit à dix mois pour se décomposer. D'ici là, on peut parier que d'autres déchets "biodégradables" seront venus compléter le tableau. On oublie souvent qu'un geste anodin prend des proportions spectaculaires quand il est imité par des centaines de voyageurs. Et comme l'industrie du tourisme (terme révélateur !) est devenue phénomène de masse, le constat est cinglant : voyager est devenu un facteur de pollution de notre planète.

En prenant de bonnes habitudes, sans pour autant fournir d'efforts surhumains, vous pouvez limiter l'impact de votre passage. En commençant par le choix de votre moyen de transport... Voici une série de réflexes écolo à avoir en voyage, à la mer, en randonnée ou dans un pays lointain, mais aussi au contact des animaux sauvages. Loin de nous l'idée de vous attribuer un bonnet d'âne à chaque fois que vous prenez l'avion ! Mais si chacun fait attention, alors peut-être que les suivants pourront eux aussi profiter des merveilles de notre planète.

Source : site Internet du Guide du routard.

Production écrite

4 Choisissez l'une de ces activités.

Activité 1 : Vous avez fait, durant votre dernier voyage, une rencontre inoubliable. Vous avez décidé d'en garder une trace sur votre blog. Indiquez le moment, le lieu, et décrivez avec précision cette rencontre et vos sentiments à ce moment-là. Expliquez pourquoi cette rencontre a été importante pour vous.

Activité 2 : Le magazine *Tour du Monde* laisse la parole à ses lecteurs dans une rubrique intitulée « Mon voyage préféré ». Rédigez un article contenant le récit de l'un de vos voyages. Présentez-vous, décrivez votre voyage (période, lieu, conditions, formule choisie...). N'oubliez pas de trouver un titre à cet article.

Activité 3 : Cette offre d'emploi vous intéresse. Rédigez une lettre de motivation qui va accompagner votre CV.

L'Agence Coco-Tour recrute

Vous aimez les voyages et l'aventure, vous rêvez de grands espaces et de découvertes... Vous êtes sensible à l'environnement, au respect de la nature et des cultures.
Rejoignez notre équipe de guides « écotouristiques » !

Votre mission : Accompagner des touristes dans une découverte de pays basée sur le partage, l'écotourisme.

Votre profil : Diplomé(e) d'une école de tourisme, de fortes capacités d'adaptation et d'écoute, un bon niveau en anglais, en français et si possible en espagnol.

Type de poste : CDI temps plein / salaire mensuel net environ 2 000 euros.

Merci d'adresser vos candidatures à :
Coco-Tour, Direction des ressources humaines, 10 place d'Iéna, Paris.

Bilan actionnel

1 Imaginez et rédigez le début d'un récit de voyage à la manière de Jules Verne.

a. En petits groupes, cherchez des informations sur Jules Verne (Qui était-il ? Quelles sont ses principales œuvres ? Qu'est-ce qui caractérise ses romans ? etc.).

b. Discutez entre vous pour choisir un lieu, un personnage principal et un moyen de transport.

c. Collectivement, rédigez les grandes étapes de ce roman (histoire, personnages principaux, fin).

d. Écrivez les premières lignes de cette aventure.

e. Lisez-les au reste de la classe.

2 L'impossible interview

« Un des derniers grands explorateurs du XXe siècle, homme le plus profond du monde et véritable Capitaine Nemo, Jacques Piccard s'est éteint le 1er novembre, à 86 ans, sur les bords du Lac Léman qu'il a tant aimé », pouvait-on lire dans un communiqué de presse.

Imaginez que vous êtes journaliste et que vous avez rencontré l'explorateur. Rédigez un article sur ses regrets.

Scénario

a. Effectuez des recherches sur l'explorateur.

b. Rédigez des questions que vous auriez aimé lui poser.

c. Inventez ses réponses.

d. Rédigez un texte pour un magazine.

Pour en savoir plus sur Jacques Piccard :

3 Préparez une sortie avec votre groupe dans le quartier / la ville / la région.

- En petits groupes déterminez la sortie que vous pourriez envisager et qui pourrait rencontrer du succès auprès de vos camarades.
- Écrivez ensuite à votre responsable (professeur/directeur/responsable de formation) pour lui exposer la proposition.
- Vous élaborerez ensuite une lettre d'information qui précisera l'objet, les modalités et les objectifs de cette sortie (culturelle, linguistique, sociale...)

La vie active

Ah ! Si j'étais riche !

- Exprimer une hypothèse incertaine – exprimer une hypothèse non réalisée

Je me forme

- Demander des informations – demander des précisions – décrire un dispositif de formation

Présentez-vous !

- Présenter sa situation professionnelle, parler de ses projets professionnels – mettre en valeur son propos – formuler des conseils

Temps de travail

- Parler de ses conditions de travail – opposer des faits, des arguments – exprimer la concession – argumenter (2)

Ah ! Si j'étais riche...

Je comprends et je communique

1 Un problème avec l'argent ?

Si vous demandiez à un Français combien il gagne, il serait peut-être gêné de vous répondre... Avec leur réputation de radins en Grande-Bretagne ou aux États-Unis, leur hostilité face au bling-bling*, pourquoi les Français sont-ils fâchés avec l'argent ? Si nos origines paysannes expliquent en partie notre culte de l'épargne et de la propriété immobilière, il est possible que la valeur républicaine de l'égalité soit la principale origine du tabou.

Cette méfiance à l'égard du fric n'est pas seulement un mythe. Selon la sociologue Janine Mossuz-Lavau, cela s'explique par le fait que nous venons presque tous de familles paysannes et, dans ce milieu, on ne parlait pas d'argent car on le gardait en liquide à la maison. À l'époque, il n'y avait pas de comptes en banque, et on ne faisait pas encore ses comptes sur Internet. Aussi, la religion catholique, tournée vers les plus pauvres, a toujours dénoncé la richesse. La sociologue rappelle aussi le rôle de l'État-providence**, qui permet de moins devoir parler de problèmes d'argent dans la vie quotidienne, contrairement à des pays comme les États-Unis, où l'on doit à tout instant se soucier de payer pour tout : l'éducation, la santé, etc.

On oppose souvent une certaine France puritaine au monde anglo-saxon prodigue et décomplexé, mais le sociologue Philippe Chanial donne une explication historique. En effet, pour lui, les idées de la Révolution française supposent une égalité matérielle entre les citoyens. Si les inégalités de richesses sont trop importantes, alors le principe d'égalité ne fonctionne pas, et l'idéal de liberté non plus d'ailleurs, puisque si on est trop pauvre, on est dominé par les plus riches. Ce serait donc la passion pour l'égalité qui expliquerait les protestations contre les salaires mirobolants des patrons, les séquestrations de dirigeants ? Et si la révolution n'avait pas eu lieu, les Français auraient-ils un autre rapport à l'argent ?

D'arès le site www.philomag.com

* bling-bling : attitude ou mode de vie visant à montrer sa richesse.
** État-providence : État qui intervient dans le domaine social pour assurer un niveau de sécurité et de bien-être social à toute la population.

2 Ah ! Si j'étais riche

3 La critique du film *Ah ! Si j'étais riche*

Vocabulaire 

• Noms
un compte (en banque)
une dette
l'égalité
l'épargne
l'État-providence
une fortune
le fric (*familier*)
un gain
une inégalité
du liquide (de l'argent liquide / payer en liquide)
une valeur
un tabou
la richesse
un souci

• Adjectifs
décomplexé(e)
embarrassant(e)
gêné(e)
médiocre
mirobolant(e) (*familier*)
modeste
pauvre
prodigue
puritain(e)
radin(e) (*familier*)
richissime

• Verbes
dénoncer
dépenser (de l'argent)
gagner (de l'argent / au loto)
rembourser
se rendre compte de... / que...
révéler

• Mots invariables
à tout instant
au fait
bref

• Manières de dire
acheter à crédit
faire ses comptes
gagner une fortune
mener la grande vie
le rapport à l'argent
toucher le gros lot/ un salaire

Comprendre

1. Lisez le titre du document 1 p. 124 et imaginez les problèmes liés à l'argent.

2. Lisez le document 1 p. 124 et répondez aux questions.

a. Quel rapport les Français ont-ils avec l'argent ?
b. Quelles sont les explications données par la sociologue sur ce comportement ? Donnez les autres raisons évoquées dans le deuxième paragraphe.
c. Expliquez la raison historique qui est proposée par Philippe Chanial.

Écouter

1. Observez le document 2 p. 124. Décrivez-le et faites des hypothèses sur l'histoire de ce film.

2. Écoutez le document 3 p. 124 et répondez aux questions.

a. Quelles sont les difficultés d'Aldo Bonnard ?
b. Que lui arrive-t-il ?
c. Que décide-t-il de faire et pourquoi ?

3. Écoutez à nouveau le document 2 et dites si la critique est positive ou négative en justifiant votre réponse.

Communiquer

Par groupe de 4, débattez des questions suivantes.

a. L'argent est-il un sujet tabou pour vous ? Donnez des exemples précis.
b. Pour ou contre l'achat à crédit ? Donnez des arguments pour justifier votre opinion.

Écrire

Beaucoup de proverbes illustrent les représentations populaires de l'argent. En voici quelques-uns. Comment les comprenez-vous ? Qu'en pensez-vous ?

Le temps, c'est de l'argent.

L'argent ne fait pas le bonheur.

L'argent n'a pas d'odeur.

Imaginez des proverbes autour de l'argent, en vous inspirant de ceux existant dans votre langue.

Je prononce 

• Les sons [b] et [v]

Dites si vous entendez le son [b] ou [v], puis répétez.
Classez les mots entendus.

[b]	[v]

J'APPRENDS ET JE M'ENTRAÎNE

Grammaire 

La condition et l'hypothèse

- **La condition**

Rappel :
***Si* + présent, présent**
Ex. : ***Si*** *on est trop pauvre, on est dominé par les riches.*
***Si* + présent, futur**
***Si* + présent, impératif**
Ex. : *Bref,* ***si*** *vous voulez voir une bonne comédie, allez-y, vous ne le regretterez pas !*

- **L'hypothèse sur le présent**

***Si* + imparfait, conditionnel présent**
Ex. : *Ah,* ***si*** *j'étais riche ... ma vie serait tellement plus simple.*

- **L'hypothèse sur le passé**

***Si* + plus-que-parfait, conditionnel présent (conséquence dans le présent)**
Ex. : *Et* ***si*** *la révolution n'avait pas eu lieu, les Français auraient-ils un autre rapport à l'argent ?*
***Si* + plus-que-parfait, conditionnel passé (conséquence dans le passé)**
Ex. : ***Si*** *vous aviez gagné les 10 millions d'euros, qu'en auriez-vous fait ?*

1 Identifier des mots 

Écoutez les phrases, puis répondez aux questions.

a. Identifiez dans chaque phrase les deux mots présents dans l'encadré de vocabulaire p. 125, puis notez-les dans le tableau ci-dessous.

1.	....	....
2.	....	....
3.	....	....
4.	....	....
5.	....	....
6.	....	....

b. À partir des mots relevés, reconstituez les phrases entendues.

1. ....
2. ....
3. ....
4. ....
5. ....
6. ....

2 Avec des *si*...

Reformulez les questions comme dans l'exemple.

Ex. : *On vous vole votre portefeuille. Que faites-vous ?*
→ *Que feriez-vous si on vous volait votre portefeuille ?*

a. Vous trouvez un billet de 100 euros par terre. Que faites-vous ?

....

b. Vous gagnez un voyage pour deux personnes. Où partez-vous, et avec qui ?

....

c. Un ami vous doit une grosse somme d'argent, mais ne vous la rend pas. La lui réclamez-vous ?

....

d. On vous propose de toucher de l'argent en liquide d'une provenance inconnue. Le gardez-vous ? Qu'en faites-vous ?

....

e. On vous demande combien vous gagnez. Répondez-vous ?

....

f. On vous propose de travailler bénévolement. Acceptez-vous ?

....

3 Que feriez-vous ? Qu'auriez-vous fait ?

À partir des situations suivantes, composez un petit paragraphe où vous décrivez ce que vous feriez, ou ce que vous auriez fait.

a. Pour impressionner son amie Clara, Martin l'invite dans un restaurant très chic. Mais au moment de payer l'addition, il se rend compte qu'il n'a pas son portefeuille.
Si j'étais Martin, ...

b. Julie a fait des achats sur Internet, elle a payé avec sa carte de crédit, et se rend compte que plusieurs milliers d'euros ont été débités.
Si j'avais été à sa place, ...

4 Un million d'euros

Et si c'était vous qui aviez une semaine pour dépenser un million d'euros, comment le dépenseriez-vous ?

....

....

Je me forme

JE COMPRENDS ET JE COMMUNIQUE

1 Se former en ligne

De nombreux organismes et universités proposent désormais des formations en ligne. De l'anglais au management, d'un diplôme de coach sportif à un master en finances, il est possible de se former à tout, ou presque, sur Internet.

Tout d'abord, c'est bien pratique. Vous pouvez vous former seul, quand vous voulez et d'où vous voulez depuis un ordinateur connecté à Internet. Attention, vous risquez de ne plus pouvoir vous en passer.

En ce qui concerne l'offre de formation, vous y trouverez de tout, mais les plus sollicitées restent les formations en langues et en bureautique.

La spécificité de ces cours en ligne, c'est que les parcours de formation sont à la carte, ou sur mesure. En effet, vous pouvez sélectionner des formations selon les connaissances spécifiques que vous souhaitez acquérir. Il suffit de télécharger les cours, divisés en modules, à partir de la plateforme de l'organisme de formation. En fonction de vos acquis, et donc de vos besoins, vous pouvez faire des recherches complémentaires sur un sujet ou passer au module suivant si vous estimez vos acquis suffisants.

Certaines formations en ligne commencent par un test d'évaluation et une analyse des besoins. Ensuite, le principe est assez simple : il suffit de vous connecter sur la plateforme pour accéder aux cours ou à d'autres ressources (dictionnaires, bibliographies...). Vous pouvez les consulter en ligne mais aussi les télécharger. La plupart des formations s'effectuent sous forme d'exercices. Les apprenants doivent les renvoyer ensuite à un professeur ou à un tuteur qui les leur renvoie corrigés et peut les orienter dans leur parcours d'apprentissage. Si la formation n'est pas adaptée à votre niveau ou à vos besoins, il faut le lui dire ! D'autres formations proposent aussi des formules hybrides où les cours en ligne alternent avec le téléphone ou des séances de regroupement en présentiel. Des outils de communication en direct sont aussi disponibles, comme le chat ou la visioconférence. Car, ne vous y trompez pas, apprendre tout seul, c'est bien, mais ça s'apprend ! Grâce notamment aux autres apprenants et au formateur qui peuvent vous y aider et rendre votre apprentissage convivial et efficace. En effet, si vous rencontrez une difficulté, ou même si vous sentez votre motivation baisser, vous pouvez leur en parler. Un mot d'encouragement, un conseil méthodologique, un échange de bonnes pratiques, et vous voilà reparti. Le tout, c'est de s'y mettre !

2 Sidonie téléphone à l'école *Langues pour tous*

Vocabulaire

• Noms
un acquis
un(e) apprenant(e)
un apprentissage
une connaissance
un conseil
un courriel
un diplôme
un dispositif
un formateur / une formatrice
une formation à la carte / sur mesure / en ligne / à distance
un module de cours
la motivation
un niveau
une offre de formation
un organisme de formation
un outil
une plateforme
un regroupement
la spécificité
un test d'évaluation
un tuteur

• Adjectifs
adapté(e)
efficace
hybride
méthodologique
suffisant(e)

• Verbes
accéder à...
alterner
chatter
se connecter
corriger
encourager
se former
s'habituer à...
imposer
motiver
progresser
risquer de...
solliciter
télécharger

• Mots invariables
désormais
tout à fait

• Manières de dire
C'est selon vos disponibilités
un échange de bonnes pratiques
il suffit de (+ verbe à l'infinitif)
Je ne suis pas sûr d'y arriver.
Le tout, c'est de s'y mettre.
Ne vous en faites pas !
Ne vous y trompez pas !

Comprendre

• Lisez le document 1 p. 128 et répondez aux questions.

a. Quelles sont les formations en ligne les plus demandées ?
b. Dites quelles sont les spécificités d'une formation à la carte.
c. Qu'est-ce qu'une formule hybride ?
d. Quel rôle jouent, dans ce type de formation, la communauté d'apprenants et le formateur ?

Écouter

• Écoutez le document 2 p. 128 et répondez par vrai ou faux aux affirmations suivantes.

	Vrai	Faux
a. Sidonie appelle l'école de langues parce qu'elle veut s'inscrire à un cours d'allemand.	❒	❒
b. L'école ne propose que des cours à distance.	❒	❒
c. Des échanges téléphoniques sont prévus dans le dispositif.	❒	❒
d. Sidonie est convaincue de l'efficacité de cette formation en ligne.	❒	❒
e. On lui impose les horaires des cours au téléphone.	❒	❒
f. Elle peut commencer sa formation quand elle le souhaite.	❒	❒

Communiquer

Sidonie contacte un étudiant de l'école pour qu'il lui raconte son expérience d'apprenant à distance. Ils fixent un rendez-vous pour en discuter sur Skype. Vous jouez la scène avec votre voisin(e).

Écrire

Intéressé(e) par cette publicité, vous écrivez un courriel pour obtenir des informations sur ce cours (inscription, tarifs, types de ressources, outils de communication, présence d'un professeur, rencontres avec les autres étudiants...).

Je prononce

L'articulation des doubles pronoms

Écoutez ces phrases, répétez-les en prononçant correctement les doubles pronoms. Puis écrivez-les.

J'APPRENDS ET JE M'ENTRAÎNE

Grammaire

Les doubles pronoms

Pronoms indirects 1re et 2e personnes	Pronoms directs 3e personne	
me te nous vous	le, la, l', les	Ex. : *Il* **vous les** *renvoie par courriel.* Ex. : *Les horaires, on* **me les** *impose ?* Ex. : *Votre adresse, vous* **me la** *donnez ?*
Pronoms directs 3e personne	**Pronoms indirects 3e personne**	
le, la, l', les	lui, leur	Ex. : *Le tuteur* **les leur** *renvoie corrigés.* Ex. : *Il faut* **le lui** *dire.*

Le pronom *en* ou le pronom *y* combiné à un autre pronom est toujours en deuxième position.	Ex. : *Un ami* **m'en** *a parlé.* Ex. : *Vous pouvez* **vous y** *inscrire quand vous voulez.*

À l'impératif affirmatif, les pronoms se placent après le verbe et sont reliés par un trait d'union.	Ex. : *Demandez-***le-leur** *sur le forum de notre site.*
Ils retrouvent leur place à l'impératif négatif.	Ex. : *Ne* **vous en** *faites pas !*

1 Créez votre plateforme ! 

Proposez une idée de plateforme dédiée à l'apprentissage du français. Par deux, définissez les outils pour apprendre et pour communiquer, expliquez les avantages d'un tel dipositif et parlez du rôle du professeur.

Présentez ensuite votre projet à la classe, qui choisira le meilleur.

Ex. : *Sur notre plateforme, il y aura des exercices à faire en ligne, essentiellement de grammaire, on pourra consulter les leçons avant de venir en cours...*

2 Soyez plus précis !

À partir des phrases suivantes, entraînez-vous, par deux, à demander des précisions. Utilisez les pronoms personnels comme dans l'exemple.

Ex. : *J'ai demandé des conseils à mon professeur → Il t'en a donné beaucoup ? Oui, il m'en a donné beaucoup.*

a. J'ai envoyé des courriels aux autres étudiants. → ....

b. Je me suis habitué aux nouveaux outils. → ....

c. Mon professeur m'a expliqué les consignes. → ....

d. Il m'a présenté les participants aux cours. → ....

e. J'ai envoyé mes devoirs au professeur. → ....

f. Le professeur m'a conseillé des ressources en ligne. → ....

g. Mes parents m'ont offert un nouvel ordinateur. → ....

3 Allô, tu me l'envoies ?

a. Écoutez cette conversation téléphonique entre deux amis, Samuel et Camille, puis répondez aux questions en utilisant des doubles pronoms.

1. Est-ce que Samuel a envoyé son devoir au formateur ?

....

2. Est-ce que Samuel va expliquer le devoir à Camille ?

....

3. Est-ce qu'il va faire le devoir de Camille ?

....

4. Selon Samuel, Camille doit-elle parler au formateur de ses difficultés ?

....

5. Que pense-t-elle du nombre de devoirs donnés par le formateur ?

....

6. Est-ce que Camille a parlé à Samuel de sa soirée ?

....

7. A-t-elle envoyé son invitation à Samuel ?

....

b. Restituez à deux la conversation entre les deux étudiants et jouez-la.

4 Comment sera l'école de demain ?

Regardez le dessin ci-dessous. À quoi fait-il référence ? Par deux, faites un portait de l'école du futur.

Présentez-vous !

JE COMPRENDS ET JE COMMUNIQUE

1 Faites votre « pitch »

monemploi.com

L'expression est née au cinéma, et on l'entend aujourd'hui très souvent à la radio et à la télévision. « Pitcher » un film ou une émission, c'est en donner une idée générale en quelques phrases. Appliquée au monde professionnel, c'est passer à votre recruteur la bande-annonce de votre vie professionnelle. Cette présentation courte, attrayante et persuasive a pour but de convaincre un recruteur que vous avez toutes les qualités pour réussir à ce poste dans son entreprise.

Lors d'un salon professionnel, sur le stand d'un forum d'emploi, cela peut être une approche adaptée si vous êtes à la recherche d'un emploi, car les rencontres se prêtent à ce type de présentations express. Il faut donc que vous ayez à l'esprit votre texte, sans toutefois le réciter, car on ne parle pas comme on écrit, et inversement. C'est donc votre préparation qui fera la différence.

Ce qu'il faut d'abord faire, c'est expliquer votre métier avec des mots simples. En effet, votre interlocuteur doit comprendre rapidement ce que vous faites, ce qui vous motive, ce dont vous êtes capable. Vous pouvez également évoquer l'entreprise la plus emblématique de votre parcours. Puis, ce qui est important, ce sont vos principales compétences. Vous devez les mettre en valeur. Enfin, mentionnez un loisir ou une activité associative, mais uniquement si cela éclaire votre recruteur sur votre sens du travail en équipe, vos capacités d'adaptation ou votre autonomie.

Reste à rédiger votre *pitch*. Essayez de vous entraîner face à une glace, d'effacer les mots inutiles, sans dépasser une minute. Ce dont vous avez besoin, c'est d'un ami qui accepterait de vous écouter. Récitez-le plusieurs fois, pour mieux l'assimiler. Vous serez alors prêt à le dire sur un ton plus naturel lors d'une prochaine rencontre professionnelle. Maintenant, c'est à vous !

2 Gabriel, chef de projet, se présente

Vocabulaire 

• Noms
une approche
l'autonomie
un client
une compétence
une contrainte
un délai
une exigence
un interlocuteur
un métier
un parcours (professionnel)
un poste
un projet
une qualité
un recruteur
la réussite
un salon professionnel

• Adjectifs
attrayant(e)
créatif / créative
emblématique
express
gratifiant(e)
innovant(e)
persuasif / persuasive

• Verbes
assimiler
s'assurer de...
convaincre
développer
diriger
s'entraîner
évoquer
mentionner
mettre en valeur
motiver
se prêter à + nom
réciter
se remettre en question
réussir à (+ verbe à l'infinitif)
tenir compte de...

• Mots invariables
et inversement
lors de
toutefois
uniquement

• Manières de dire
une capacité d'adaptation
c'est à vous !
on va exploser le record ! (*familier*)
la recherche d'emploi
reste à (+ verbe à l'infinitif)
le sens du travail en équipe

Écouter

• Écoutez le document 2 p. 132 et remplissez le tableau ci-dessous.

Comparez vos réponses avec celles de votre voisin(e).

Son métier	
Les compétences évoquées	
Ce qu'il aime le plus	
Ce qui est le plus gratifiant	
Les résultats obtenus	
Son rêve	

Comprendre

• Lisez le document 1 p. 132 et répondez aux questions.

a. Expliquez le mot « pitcher » qui vient de l'anglais « pitch ».
b. Relevez les 6 conseils qui sont donnés pour faire un bon *pitch*.
c. Retrouvez dans le texte un synonyme des mots suivants :
Séduisant : ....
Persuader : ....
Une méthode : ....
Caractéristique (adjectif) : ....
Valorisant et satisfaisant : ....
d. Que pensez-vous de l'approche et des conseils donnés dans cet article ?
Avez-vous déjà fait ce type de présentation ?

Communiquer

C'est à vous !
Présentez-vous en suivant les conseils donnés dans le texte.
Utilisez les expressions suivantes :

Ce que je fais ? ....
Ce qui est important pour moi, c'est...
Ce qui me plaît le plus, c'est....
Mon rêve ? Ce serait de...

Écrire

Vous répondez sur le forum du site et réagissez aux paroles de l'internaute.

	Sujet : votre pitch
Manon22 	Quelle idée, ce "pitch" ! Bientôt il faudra prendre des cours de théâtre pour trouver un travail ! Qu'est-ce qui est essentiel pour trouver un poste, avoir des compétences ou bien savoir communiquer ? *Message édité par Manon22 le 29-11-2012 à 05:41:19*

Je prononce 

• Ce qui [ski], ce que [skø], et l'intonation d'insistance

Répétez les phrases en veillant à respecter l'intonation d'insistance.

1. Ce qui est important, ce sont vos principales compétences.
2. Ce que je fais ? Je dirige une équipe de 12 personnes.
3. Ce que j'aime le plus dans mon métier ? C'est l'aspect innovant et le défi permanent.
4. Développer un nouveau projet là-bas, c'est ce que j'aimerais faire.
5. Voilà ce qui me plairait vraiment.

J'APPRENDS ET JE M'ENTRAÎNE

Grammaire

- **Les pronoms relatifs neutres**
  ce qui : les choses qui
  ce que : les choses que
  ce dont : les choses dont
  Ex. :
  Votre interlocuteur doit comprendre rapidement
  ***ce que** vous faites,*
  ***ce qui** vous motive,*
  ***ce dont** vous êtes capable.*

- **La mise en relief**
  C'est ... qui / que / dont peuvent mettre en relief un sujet.
  Ex. : ***C'est** moi **qui** suis responsable de la réussite du projet.*

Ce qui / que / dont ... c'est ... mettent en relief un énoncé.
Ex. : ***Ce qui** est important, **c'est** de tenir compte des contraintes techniques.*
Ex. : ***Ce que** j'aime le plus dans mon métier, **c'est** l'aspect innovant et le défi permanent.*
Ex. : ***Ce dont** vous avez besoin, **c'est** d'un ami qui accepterait de vous écouter.*
- Cette structure crée un effet d'attente, puisque l'information n'arrive qu'à la fin de la phrase.
- La structure de reprise peut aussi se trouver en fin de phrase.

Ex. : *Développer un nouveau projet là-bas, **c'est ce que** j'aimerais faire.*
Ex. : ***Voilà ce qui** me plairait vraiment.*

1 Trouvez le bon mot

À partir des définitions suivantes, retrouvez un mot plus précis, puis utilisez-le dans une phrase.

Ex. : *Quand vous essayez de persuader quelqu'un que votre idée est bonne, ou que vous êtes le bon candidat, vous essayez de le convaincre.*
→ *Je l'ai convaincu que j'avais toutes les compétences pour ce poste.*

a. Quand votre patron vous remercie pour un travail bien fait, vous trouvez cela ....
→ ....

b. Quand un travail vous demande d'imaginer, d'inventer de nouveaux concepts, il faut se montrer ....
→ ....

c. Si on vous demande de terminer un travail pour une date précise, vous devez respecter des ....
→ ....

d. Si vous devez raconter l'ensemble de vos expériences professionnelles, vous parlez de votre ....
→ ....

e. Les obligations qu'on doit accepter, comme par exemple le respect des horaires, ce sont ....
→ ....

2 À vous de jouer !

Choisissez un mot dans le tableau de vocabulaire p. 133.
Formulez une définition pour le faire deviner à la classe.

Ex. : *Devinette : Ce sont les choses que l'on sait faire. Réponse : Compétences*

qualité · motiver · exigence · interlocuteur · attrayant · recruteur · approche · client

3 Ce qu'il faut faire

Par deux, donnez-vous des conseils à tour de rôle à partir des situations données, en utilisant des formules de mise en relief.

Ex. : Vous : *Je ne sais pas quel métier choisir.*
Votre voisin(e) : *Ce qu'il faut faire, c'est aller voir des professionnels, les interroger sur leur métier, voilà ce qu'il faut faire !*

a. Je suis trop timide, j'ai du mal à parler en public.

....

b. J'ai préparé une présentation, mais je ne sais pas si elle est assez attrayante.

....

c. Je vais demain à un forum pour l'emploi, je me demande comment bien me préparer.

....

d. On me demande de parler de mon poste en anglais, mais j'ai peur de ne pas réussir à convaincre le recruteur.

....

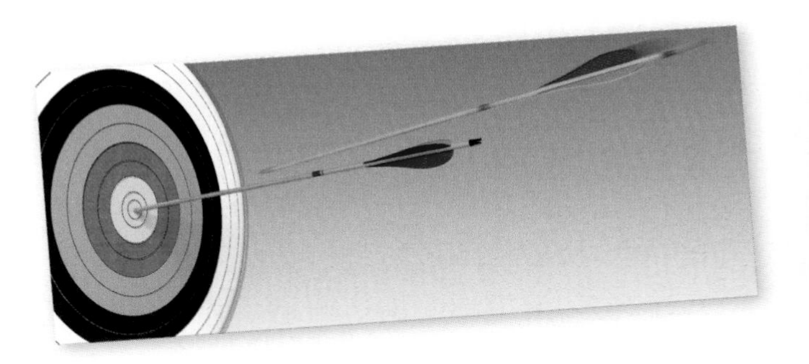

e. Je n'ai pas beaucoup d'expérience, ce n'est pas facile.

f. J'aimerais partir travailler dans un pays francophone, par quoi je commence ?

....

4 À votre service

Vous travaillez dans une agence qui propose un service d'accompagnement professionnel (trouver un métier, une orientation, définir un projet professionnel). Rédigez un texte publicitaire présentant ces services avec les expressions proposées ci-dessous. Trouvez un nom pour votre agence.

Ex. : *Ce que nous vous offrons, ce sont des outils pour vous aider à construire votre projet. Ce que vous trouverez chez nous, c'est une approche personnalisée et innovante.*

Ce dont vous avez besoin, c'est de ....
Ce que vous cherchez, c'est ....
Ce qui est important, c'est ....
Ce que nous vous offrons, c'est ....
Ce que vous trouverez chez nous, c'est ....

5 Le forum pour l'emploi

Vous allez à un forum pour l'emploi. Préparez votre projet professionnel.

a. Remplissez la fiche ci-dessous.
b. Préparez votre présentation en suivant les conseils donnés dans le document 1 p. 132.
c. Présentez votre projet à la classe.

Votre métier / votre projet professionnel	
Vos compétences	
Ce que vous aimez le plus	
Ce qui est le plus motivant / intéressant	
Vos objectifs	
Votre rêve	

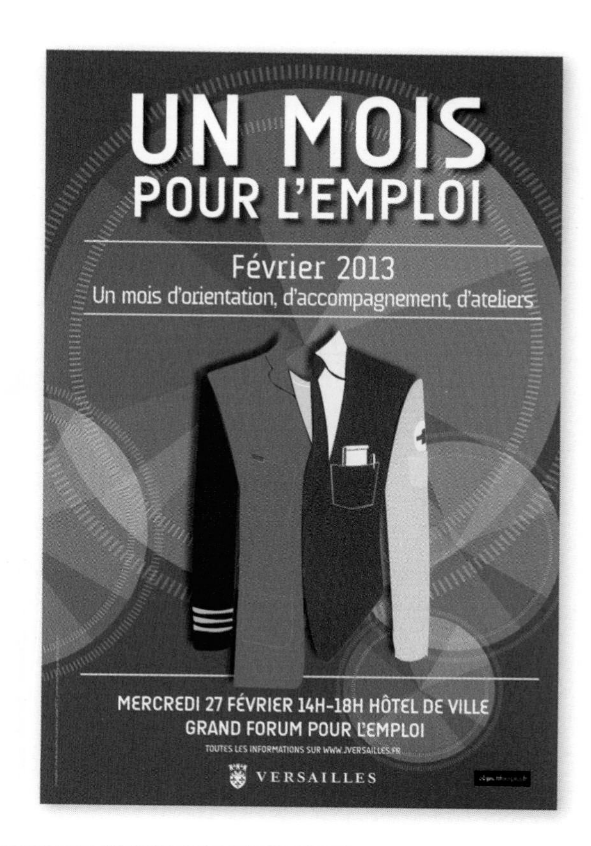

Temps de travail

Je comprends et je communique

1 Le Bureau des temps

En 2001, la Ville de Paris lance avec le Bureau des temps un vaste processus de concertation impliquant les habitants de la ville et leurs représentants. Son objectif ? Aider les citoyens à mieux équilibrer les temps de la ville et les temps de la vie. En effet, l'organisation du travail a profondément évolué ces dix dernières années, notamment avec l'augmentation des horaires décalés. Malgré les 35 heures, la journée de travail se prolonge en soirée et certains salariés parisiens travaillent occasionnellement le week-end. Bien qu'ils soient encore nombreux à prendre leur voiture, les trajets se font de plus en plus en transports en commun et ne se limitent plus au chemin entre domicile et travail, mais concernent également les activités de loisirs. Pour prendre en compte les besoins des uns et les contraintes des autres, la Mairie de Paris adapte les horaires d'ouverture des équipements publics, crèches, piscines, musées, transports publics, bibliothèques. Ainsi, les usagers peuvent profiter de nocturnes dans certaines piscines municipales, ou encore prendre le bus de nuit. Les horaires de travail des employés municipaux sont également aménagés. Il s'agit donc de s'adapter à ces changements et de se demander comment la ville peut aider les travailleurs à mieux concilier le temps à vivre au travail, le temps à vivre en famille, le temps consacré aux enfants et aux loisirs. Enfin, cette réflexion est menée par le Bureau des temps dans le cadre d'un réseau municipal, mais aussi national qui comprend à ce jour Lyon, Rennes et Poitiers, et s'inspire d'expériences européennes, l'Italie étant le premier pays à avoir développé les politiques des temps urbains au début des années 1990, sous l'impulsion de mouvements féministes.

2 Les Parisiens et leur travail 

Vocabulaire

• Noms
les congés
un chef d'entreprise
une crèche
le domicile
un(e) employé(e)
les équipements
une nocturne
un réseau
les RTT (réduction du temps de travail)
un trajet
un travail à temps plein / à temps partiel / à domicile
un travailleur
un usager

• Adjectifs
bien payé(e)
décalé (horaire)
épanouissant(e)
interminable
municipal(e)
souple
vaste

• Verbes
aménager (des horaires)
s'adapter
se débrouiller
concilier
consacrer (du temps)
s'épanouir
équilibrer
évoluer
manquer (de)
s'organiser
passer (du temps)
prendre en compte
se prolonger
sacrifier

• Mot invariable
en dehors de...

• Manières de dire
entre midi et deux (heures)
j'y arrive
un mouvement féministe
on ne peut pas tout avoir !
un processus de concertation

Communiquer

Comme la journaliste, vous interrogez votre voisin(e) sur son temps de travail et son temps libre. Vous rapporterez ensuite devant la classe les réponses obtenues.

! Comprendre

1. Lisez le document 1 p. 136 et répondez aux questions.
a. Pourquoi la Mairie de Paris a-t-elle mis en place le Bureau des temps ?
b. Quelle est la méthode utilisée pour développer cette politique ?
c. Y a-t-il d'autres villes ou pays qui ont fait ce choix ?
d. Existe-t-il un bureau des temps dans votre ville ou d'autres villes que vous connaissez ?

Écouter

• Écoutez le document 2 p. 136 et complétez le tableau ci-dessous.

	Situation	Sentiment	Temps libre
Personne 1	Salariée à temps plein, dans la vente	Elle est souvent fatiguée mais adore son travail.	Elle manque de temps pour elle.
Personne 2			
Personne 3			
Personne 4			
Personne 5			
Personne 6			

Écrire

Votre ville ouvre un Bureau des temps. Vous êtes invité(e) à participer à la concertation via le forum du site de votre ville.

➤ ET MAINTENANT C'EST À VOUS !
Faites vos suggestions ! Vous avez une remarque à faire, une expérience à partager concernant ce nouveau service ? C'est à vous.

Je prononce

• Les sons [j] et [i]
Écoutez et dites ce que vous entendez, puis répétez.

	[j]	[i]
1.		
2.		
3.		
4.		
5.		
6.		
7.		
8.		

J'APPRENDS ET JE M'ENTRAÎNE

Grammaire

• **Exprimer l'opposition**

Par contre, **en revanche** (langue plus soutenue), **contrairement à...** servent à opposer deux faits, actions ou qualités contraires.

Ex. : *J'ai des horaires assez souples,* ***par contre*** */* ***en revanche****, certains week-ends, il m'arrive de travailler.*

Ex. : *J'ai le temps entre midi et deux d'aller faire du sport,* ***contrairement à*** *beaucoup d'amis.*

• **Exprimer la concession**

On utilise :

Bien que + subjonctif
Même si + indicatif
Quand même
Malgré + nom / moi, toi, lui ...
Toutefois
Cependant

Ces connecteurs servent à faire coexister deux faits qui sont logiquement incompatibles.

Ex. : ***Bien que*** *je manque parfois de temps pour moi, j'adore mon boulot.*

Ex. : *Heureusement, il y a les RTT maintenant,* ***même si*** *on ne peut pas toujours prendre des jours quand on veut.*

Ex. : *C'est un choix, mais c'est* ***quand même*** *difficile.*

Ex. : *C'est compliqué,* ***toutefois****, avec un peu d'organisation, j'y arrive.*

Ex. : ***Malgré*** *les contraintes, pour rien au monde je ne changerais de travail !*

1 Au travail

Complétez le texte avec les mots suivants :

RTT - embouteillages – concilier – manque – salariés - souples – consacrer – épanouissant – pris en compte.

Pour arriver à .... vie professionnelle et vie personnelle, j'ai parlé avec mon patron, et finalement, il a .... ma demande. Mes horaires de travail seront plus .... Pour éviter les .... , je choisis les transports publics. Grâce à mes jours de ...., je peux .... du temps à mes loisirs, un ciné avec un ami, une visite dans un musée, ou juste une balade. Du temps, on en .... tous, mais moi j'ai la chance d'avoir un boulot ...., et en plus, les .... de mon entreprise sont tous sympas.

2 C'est à vous !

À votre tour, écrivez un texte sur votre travail, en utilisant tous les mots suivants :

s'épanouir – un trajet – sacrifier – le temps libre – se débrouiller – j'y arrive – les congés – évoluer – décalé – aménager.

....

....

....

3 Des métiers différents

Imaginez ce qui peut opposer ces personnes, leur rythme de vie, leur temps de travail, leur temps libre. Utilisez les expressions *par contre, en revanche, contrairement à*.

Ex. : *Une personne travaillant dans une entreprise et une personne travaillant à son domicile.*
→ *La personne qui travaille dans une entreprise doit respecter des horaires,* ***par contre,*** *la personne qui travaille chez elle peut décider de ses horaires de travail.*

a. Un ingénieur et une journaliste à la radio

....

b. Une commerçante et un employé de mairie

....

c. Une infirmière et un professeur

....

d. Un boulanger et une employée de banque

....

e. Une étudiante à l'université et un médecin

....

4 Autour du travail 

Écoutez, puis notez les deux faits (en apparence contradictoires) et le connecteur utilisé.

Fait 1	Fait 2	Connecteur
1. *Demandes pour adapter les horaires de travail*	*Refus de son patron*	*Malgré*
2.		
3.		
4.		
5.		
6.		
7.		
8.		

5 Négociez ! 

Par groupe de 4, faites une liste de propositions pour réduire le stress au travail (travail à domicile, horaires plus souples, crèche d'entreprise, sport à midi...).
Puis échangez avec le reste de la classe.
Utilisez les connecteurs de l'opposition et de la concession.

Ex. : *Bien qu'on ne puisse pas tout faire de chez soi, on pourrait faire certaines choses à distance, on ne perdrait pas de temps dans les embouteillages.*

....

....

....

L'industrie aéronautique et spatiale française et européenne,
un secteur d'excellence reconnu

Les chiffres de l'aéronautique française et européenne

1. Écoutez cette présentation en chiffres de l'industrie aéronautique française et européenne, puis complétez le tableau ci-dessous.

Part du chiffre d'affaires réalisée à l'exportation	80 %
Nombre d'emplois aujourd'hui	
Nombre d'emplois créés depuis 2006	
Taux d'augmentation des commandes en 2010	
Nombre d'entreprises concernées par ces activités en France	
Part du chiffre d'affaires consacrée à la recherche et au développement	

2. Écoutez à nouveau, puis notez les différents métiers qui sont évoqués dans le document.

3. Quels sont les grands noms de ce secteur qui sont cités ?

4. Associez les logos des entreprises au texte correspondant.

1. Ce consortium européen, créé en 2000, rassemble les activités de constructeurs français, allemand et espagnol. Ce groupe est numéro un mondial des secteurs de l'aéronautique, de l'espace et de la défense.
2. Filiale à 100 % d'EADS, son siège est à Blagnac, dans la banlieue de Toulouse. Ce groupe européen fabrique plus de la moitié des avions de ligne produits dans le monde et elle est le principal concurrent de Boeing.
3. Fondée en 1980, cette société européenne est la première société de lancement de satellites au monde. Elle commercialise et exploite les systèmes de lancement spatiaux développés par l'Agence spatiale européenne. Depuis sa création, elle a lancé plus de la moitié des satellites commerciaux actuellement en service dans le monde. Son siège est situé à Évry, dans la banlieue parisienne.
4. Présente dans plus de 70 pays sur les 5 continents, cette entreprise, toujours bénéficiaire depuis sa création en 1936, est le dernier groupe d'aviation au monde encore détenu par la famille de son fondateur et portant son nom. C'est le seul groupe qui produit à la fois des avions d'affaires et des avions de combat. En 2010, l'aéronautique civile représente 77 % de son chiffre d'affaires.

a.

b.

c.

d.

5. Quelles sont les autres noms de l'industrie française que vous connaissez ? Quels sont, selon vous, les autres secteurs de pointe de l'économie française ?

En 2005, l'Écureuil AS350B3, produit d'Eurocopter, groupe franco-allemand, filiale d'EADS, et premier fabricant d'hélicoptères civils au monde, se pose au sommet de l'Everest. C'est un record dans l'histoire de l'aviation.

Le premier lancement d'Ariane 5 a eu lieu en 1996. Ce lanceur a été développé pour placer des satellites sur orbite. Pour ses activités d'opérations de lancement, Arianespace est implantée au Centre spatial guyanais, près de Kourou, en Guyane française.

Lancé en 1987, l'A320 est le premier avion civil à commandes de vol électriques numériques, entièrement contrôlées par des calculateurs. À ce jour, l'A320 est l'avion de ligne le plus produit dans le monde.

Le salon du Bourget est le plus ancien et le plus grand salon au monde consacré l'industrie aéronautique. Depuis 1953, il a lieu tous les deux ans, au Bourget, au nord de Paris.

Compréhension orale

1 Écoutez et répondez aux questions.

a. Qu'est-ce qui a changé notre rapport au savoir ?

....

b. Identifiez les trois grands changements dans ce rapport au savoir.

1. ....
2. ....
3. ....

c. D'après ce document, le professeur d'aujourd'hui doit :

- ❒ consulter sans cesse Internet.
- ❒ transmette un savoir accessible sur Internet.
- ❒ adapter ses pratiques et ses contenus.

d. Quel est alors le nouveau rôle du professeur ?

....

....

e. Quels sont les risques si l'on ne prend pas en compte la manière dont Internet présente le savoir ?

....

....

Production orale

2 Vous jouez le rôle qui vous est indiqué.

Vous proposez à un(e) ami(e) de venir avec vous en Bretagne. Il/Elle doit simplement acheter son billet sur Internet, mais votre ami(e) hésite parce qu'il/elle ne pense pas que ce système de réservation soit très sûr. Vous essayez de le/la convaincre.
L'examinateur joue le rôle de l'ami(e).

3 Dégagez le thème soulevé par le document et présentez votre opinion sous la forme d'un exposé personnel de 3 minutes environ.

L'examinateur pourra vous poser quelques questions.

Serious game : le jeu, c'est du sérieux !

Apprendre en s'amusant n'est plus le privilège des enfants. Plongés dans un univers 3D, les salariés peuvent aujourd'hui tester leurs connaissances et développer leurs talents de manière ludique. De nombreuses entreprises l'ont bien compris, comme Renault qui a mis en place un jeu « Conseiller Service » dont le but est d'apprendre aux commerciaux à bien réagir face à des clients d'humeurs différentes. Décors, présentation des personnages, vêtements, organisation du travail, tout doit sembler le plus réel possible pour que les salariés jouent bien le jeu. La difficulté est progressive, car le joueur doit pouvoir relever des défis et s'améliorer. Toutefois, la création d'un tel jeu a un prix, car il est construit sur mesure pour chaque client, il faut donc au moins une centaine de personnes pour qu'il soit rentable. Les grandes entreprises sont séduites. Chez Renault, seuls 30 % des salariés vont jusqu'au bout d'un outil classique e-learning, alors que pour le *serious game* Conseiller Service, ils sont 100 % !

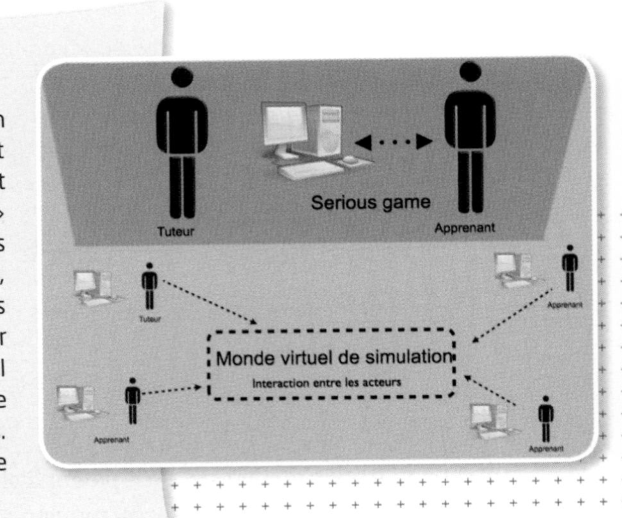

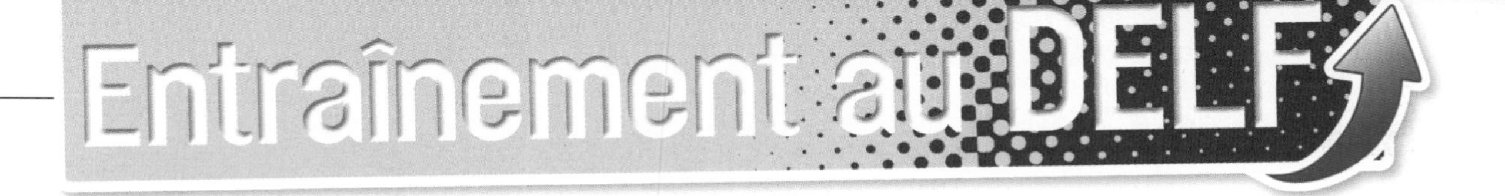

Compréhension écrite

4 Lisez le texte et répondez aux questions.

Vive le télétravail !

Adieu « métro, boulot, dodo » ? Largement adopté aux États-Unis et dans les pays scandinaves, le télétravail offre un immense potentiel d'amélioration de la qualité de vie individuelle et collective. Une révolution en devenir ?

La France a mis du temps, mais une étude toute récente révèle qu'aujourd'hui 14,2 % des salariés pratiquent de manière régulière le télétravail.

Des temps de transport domicile-travail toujours plus longs, des réseaux de transport saturés, un stress quotidien, une pollution en augmentation, tout cela génère des modes de vie « sous tension ». Comme l'impression de ne plus pouvoir concilier sereinement vie professionnelle et vie personnelle. Ainsi, d'après un sondage OpinionWay, près de 76 % des Franciliens[1] souhaitent télétravailler. Par ailleurs, une autre étude montre que les jeunes diplômés de la « génération Y »[2] y sont favorables à 98 %.

Il est vrai qu'aujourd'hui, grâce à tous les outils numériques dont disposent les salariés, aller faire au bureau ce que l'on peut très bien faire chez soi change les repères, donc les attentes, en matière de travail. Surtout auprès de la jeune génération qui aspire à la créativité et à l'autonomie, allant ainsi à l'encontre des codes traditionnels du management à la française : présentéisme, environnement très hiérarchique, mode de décision bureaucratique.

Toutefois, si l'on peut assez facilement mesurer la productivité horaire du travail, celle des services, et notamment celle des travailleurs « intellectuels », est bien plus difficile à évaluer. Mais au-delà de cet aspect quantitatif, les salariés disent rapidement ressentir les effets du télétravail. Baisse du stress, meilleure concentration et meilleure gestion du temps, voilà ce qui est fréquemment évoqué. La qualité de vie associée au télétravail est donc essentielle pour le bien-être des salariés : ils reprennent une part d'autonomie et organisent partiellement leur temps de travail.

Aujourd'hui, 40 % des entreprises du CAC 40[3] ont mis en place des dispositifs de télétravail, ce qui montre que les entreprises françaises commencent à comprendre que des salariés plus épanouis et moins stressés sont un facteur important pour leur santé économique.

Synonyme de bien-être individuel, de progrès social, de performance économique et de pratique écologique, le télétravail pourrait bien contribuer à nous offrir une vie meilleure. À quand une loi en France donnant la possibilité aux salariés de télétravailler au moins un jour par semaine ?

D'après le site Le Cercle des échos.

1. Les Franciliens sont les habitants de la région Île-de-France.
2. La génération Y désigne les personnes nées dans les années 1980 et 1990. Elle se caractérise entre autres par une très forte culture numérique.
3. Les entreprises du CAC 40 sont les entreprises cotées en bourse.

a. La France fait-elle partie des premiers pays à avoir adopté le télétravail ?

....

b. D'après l'enquête, quelle est la population qui serait la plus favorable à cette forme de travail ?

....

c. Relevez dans le texte les arguments en faveur du télétravail.

....

....

....

d. D'après le texte, la difficulté liée au télétravail est :
- ❒ que l'on ne peut pas contrôler le travail des salariés.
- ❒ que les salariés ne sont pas tous assez autonomes.
- ❒ que la productivité horaire du travail réalisé n'est pas facile à évaluer.

e. La France va adopter une loi offrant aux salariés une journée par semaine de télétravail.
❒ Vrai ❒ Faux ❒ On ne sait pas

Expression écrite

5 Si vous pouviez changer de métier, que feriez-vous ?

Vers quel type de formation vous orienteriez-vous ? Dans un texte construit et cohérent, vous détaillez les grandes étapes de votre projet. (160 à 180 mots)

....

Bilan actionnel

1 Faites un sondage dans la classe pour savoir quel rapport à l'argent ont les étudiants.

a. Formez trois groupes d'étudiants. Chaque groupe devra écrire quatre questions. Vous devrez utiliser les formes de l'hypothèse dans le présent et dans le passé.
Ex. : *Si vous aviez une grosse somme d'argent, qu'en feriez-vous ? Si un ami vous demandait de lui prêter de l'argent, le feriez-vous ? Si on vous proposait un travail passionnant mais mal payé, l'accepteriez-vous ? Si vous aviez gagné 10 millions d'euros au loto, le diriez-vous à vos amis ? Qu'auriez-vous fait de cette somme ?*

b. Mettez en commun vos questions et finalisez le questionnaire.

c. Interrogez une personne de votre choix et notez ses réponses.

d. Faites une restitution orale des réponses obtenues.

2 De nouveaux rythmes de travail

Écoutez le discours du directeur de votre entreprise qui explique les nouveaux rythmes de travail qu'il souhaite mettre en place. Écrivez ensuite un courriel à votre collègue absente pour l'informer de cette nouvelle organisation du travail.

3 Vous avez lu cette annonce dans la presse. Vous essayez de convaincre un ami de travailler avec vous pour cette association.

Vous êtes convaincu(e) par cette idée de travailler bénévolement pour une cause juste. Mais votre ami, bien qu'il reconnaisse l'importance de ce type d'engagement, n'est pas prêt à y consacrer du temps car il manque déjà de temps pour lui.
Préparez vos arguments et jouez la scène avec votre voisin(e).

Soucieux d'aider les élèves en difficulté, le Secours populaire propose soutien scolaire, aide à l'autonomie et accompagne les enfants en difficulté dans leur parcours scolaire.
Donner à chacun des chances de réussite, ouvrir les jeunes à la culture, leur donner envie d'apprendre est la meilleure arme contre l'exclusion.
Venez rejoindre nos professeurs bénévoles !

Le discours rapporté

1. Le discours rapporté au présent

- Au discours indirect, quand le verbe introducteur est au présent, les temps utilisés dans la phrase du discours direct ne changent pas. C'est également le cas pour les verbes introducteurs au futur et au conditionnel présent.
  Exemples :
  - *« **C'est** la plus belle ville du monde. » → Il dira que **c'est** la plus belle ville du monde.*
  - *« **C'était** une promenade en ville très agréable. » → Je dirais que **c'était** une promenade en ville très agréable.*

- Pour rapporter une question, si l'inversion du verbe et du sujet est utilisée au discours direct, il est impossible de l'utiliser au discours indirect.
  Exemples :
  - *« **Savez-vous** où se trouve la rue Charrel ? » → Il demande si **nous savons** où se trouve la rue Charrel.*
  - *« **Connais-tu** la ville de Lyon ? » → Il demande si **je connais** la ville de Lyon.*

- De même, si dans la question au discours direct, on utilise un mot interrogatif suivi de ***est-ce que***, on ne le gardera pas au discours indirect.
  Exemple :
  *« **Quand est-ce que** tu as rendez-vous chez le médecin ? » → Il me demande **quand** j'ai rendez-vous chez le médecin.*

2. Le discours rapporté au présent et au passé

- Quand on rapporte plusieurs affirmations, on peut utiliser un seul verbe rapporteur (*dire*) puis *et que / qu'*.
  Exemple :
  *« Je suis allé chez le médecin **et** je suis passé ensuite à la pharmacie. »*
  *→ Il dit **qu'**il est allé chez le médecin et **qu'**il est passé ensuite à la pharmacie.*

- Quand on souhaite rapporter plusieurs questions, on utilise un seul verbe introducteur (*demander*) mais, selon les questions posées, il faudra utiliser, dans le discours indirect, les mots interrogatifs adaptés.
  Exemple :
  *« **Est-ce que** tu as téléphoné au médecin ? **Quand** est-ce qu'il t'a donné rendez-vous ? »*
  *→ Il m'a demandé **si** j'avais téléphoné au médecin **et quand** il m'avait donné rendez-vous.*

- Quand on souhaite rapporter une affirmation, une question et / ou une injonction, les verbes rapporteurs sont différents. Il faut alors les préciser.
  Exemple :
  *« **Va** chez le médecin ! **Est-ce que** tu te rends compte de ton état ? »*
  *→ **Il m'a dit** d'aller chez le médecin **et m'a demandé** si je me rendais compte de mon état.*

Remarque : On écrit : *il (a) dit que oui, il (a) dit que non.*

LES RELATIONS DE TEMPS

Entre deux propositions, il peut y avoir un rapport **d'antériorité**, de **postériorité** ou de **simultanéité**.

1. L'antériorité

Quand l'action de la première proposition a lieu **avant** l'action de la deuxième proposition, on utilise :
- **avant que (ne)** / **sans attendre que** (sujets différents) / **jusqu'à ce que** / **d'ici (à ce) que… + subjonctif**
- **jusqu'au moment où** / **en attendant le moment où … + indicatif**

Exemples :
- *Avant qu'il ne soit* (subjonctif) *trop tard, on profite des soldes.*
- *Elle fait les soldes jusqu'à ce qu'elle ait* (subjonctif) *dépensé tout son argent.*
  (L'action « faire les soldes » se situe avant « dépenser tout son argent ».)

2. La postériorité

Quand l'action de la première proposition a lieu **après** l'action de la deuxième proposition, on utilise :
après que / **une fois que** / **depuis que** / **dès que** / **à peine … que** (+ inversion du sujet) / **ne…pas encore… que** / **depuis que** / **depuis le temps que** / **maintenant que**.

Exemples :
- *Dès que les stores remontent, c'est la cohue…*
- *Une fois que le client est arrivé à la caisse, il doit prendre son mal en patience.*
  (L'action « le client arrive à la caisse » se passe avant l'action « il prend son mal en patience ».)

3. La simultanéité

Quand l'action de la première proposition a lieu **en même temps** que l'action de la deuxième proposition, on utilise :
quand / **lorsque** / **pendant que** (la durée) / **tandis que** (nuance d'opposition) / **alors que** / **au moment où** (à un moment précis) / **tant que** (même durée / cause) / **aussi longtemps que** / **à mesure que** (progression parallèle) / **au fur et à mesure que** / **chaque fois que** (répétition ou habitude) / **toutes les fois que** / **le temps que** (le temps nécessaire à…).

Exemples :
- ***Quand*** *je pars en vacances, j'en profite pour prendre des rendez-vous de travail.*
- ***Aussi longtemps que*** *les soldes durent, les clients en profitent….*
- *D'autres clients peuvent prendre le dernier article* ***pendant que*** *vous réfléchissez.*
  (« Les autres clients prennent le dernier article » et « vous réfléchissez » : les deux actions se passent en même temps.)

Les prépositions de lieu devant les noms géographiques

- Devant un nom de ville, on utilise **à** pour indiquer où l'on est, où l'on va et **de** / **d'** pour indiquer d'où l'on vient.
  Exemples :
  - *Je vis **à** Lisbonne.*
  - *Alex vient **de** Boston.*

- Pour indiquer le pays où l'on est /où l'on va, on utilise **en** devant un nom de pays féminin, **au** devant un nom de pays masculin (veillez à accorder devant un nom pluriel, ex. : *aux États-Unis*)
  Exemples :
  - *Il travaille **au** Koweit.*
  - *Elle va **en** Angleterre.*

- Pour indiquer le pays d'où l'on vient, on utilise **de** / **d'** devant un nom de pays féminin, **du** / **d'** devant un nom de pays masculin (veillez à accorder devant un nom pluriel, ex. : *des Pays-Bas, des Émirats arabes*).
  Exemples :
  - *Cette mode vient **de** France.*
  - *Alejandro arrive **d'**Argentine ce matin.*
  - *Il revient **d'**Iran.*

Attention aux noms masculins commençant par une voyelle.
Exemple : *en Équateur* ("au" devient "en").

Attention aux noms de pays sans article.
Exemple : *Cuba* → **à** *Cuba*, **de** *Cuba.*

Le passif

- Le passif se forme avec ***être*** + **le participe passé du verbe à la forme active**, qui s'accorde avec le sujet.

- Le passif permet de mettre en évidence le résultat de l'action et d'effacer l'agent responsable de l'action. Seuls les verbes acceptant un COD peuvent être mis à la forme passive.
  Exemple : *Des tableaux célèbres **ont été volés** dans un musée.*

- Quand on mentionne l'agent responsable de l'action, on l'introduit généralement avec la préposition **par**.
  Exemple : *Il a été arrêté par la police.*

Remarque : on trouve parfois le pronom indéfini **on**, qui permet aussi de ne pas nommer l'agent.
Exemple : ***On** a volé* la Joconde → La Joconde *a été volée.*

Les temps du passé

• L'imparfait

Il s'utilise pour faire une description dans le passé, pour parler d'une habitude dans le passé ou encore pour décrire un état dans le passé.
Exemples :
- Une description dans le passé : *Chez le médecin, il y avait beaucoup de monde. Une jeune femme lisait un magazine, les enfants jouaient et les autres discutaient de leurs problèmes de santé.*
- Une habitude dans le passé : *Quand j'étais jeune, je ne voulais jamais aller chez le médecin.*
- Décrire un état dans le passé : *Samedi dernier, je ne me sentais pas bien, j'avais mal à la tête et j'avais de la fièvre.*

• Le passé composé

On l'utilise pour parler d'une suite d'actions.
Exemple : *Je suis montée à l'échelle, je n'ai pas fait attention et je suis tombée. On m'a vite emmenée chez le médecin.*

• Le passé composé et l'imparfait

Ces deux temps s'utilisent aussi pour marquer une différence entre les situations (imparfait) et les événements (passé composé) qui ont lieu dans ces situations. La situation marque une durée plus grande, et l'événement une durée beaucoup plus courte.
Exemple : *J'étais chez le médecin, je lisais un magazine, j'envoyais quelques SMS à un ami. J'attendais mon tour. La porte s'est ouverte, une ancienne copine de lycée est entrée, je l'ai reconnue tout de suite !*

• Le passé simple

Il est surtout utilisé à l'écrit (temps de la narration) pour décrire des événements ponctuels et brefs.
On l'utilise à la place du passé composé dans les textes littéraires.
Ex. : *Il sortit de sa tente, prit sa boussole, marcha vers la route.*

• Le plus-que-parfait

On utilise le plus-que-parfait pour parler d'un événement qui a eu lieu **avant** un autre événement passé.
Exemple :
En 2012, j'ai eu un problème au dos. En 2013, j'ai refait des examens médicaux pour mon dos.
→ *Cette année, j'ai refait des examens médicaux pour mon dos parce que l'année dernière, **j'avais** déjà **eu** un problème au dos.*

Remarque
Quand on raconte quelque chose au passé, il faut faire attention aux faits qui appartiennent à la même période du passé (passé composé / imparfait) et à ceux qui sont antérieurs à cette période (plus-que-parfait).
Exemple : Période du récit : mon médecin à l'âge adulte / antériorité à cette période : un médecin dans mon enfance.
J'étais chez le médecin, j'attendais dans la salle d'attente. C'était la première fois que je consultais ce médecin. J'étais assez nerveux parce que petit, j'avais consulté un nouveau docteur qui m'avait fait très peur ! Mais quand il a ouvert la porte et que j'ai vu son visage, je me suis calmé. Il avait l'air très gentil. Il m'a reçu, m'a posé beaucoup de questions et m'a ausculté. J'étais rassuré. Il a été mon médecin pendant des années et un jour, il a malheureusement pris sa retraite.

Après

- Si l'action qui se passe avant a eu lieu dans le passé, on utilisera **après que** + passé composé (+ présent ou passé composé).
  Exemples : *Après que le personnel vous **a installé** dans le fauteuil, vous commencez déjà à vous détendre.*
  *Après que le personnel m'**a installé** dans le fauteuil, j'ai eu immédiatement une sensation de bien-être.*
- Si l'action qui se passe avant aura lieu dans le futur, on utilisera **après que** + futur antérieur (+ futur simple).
  Exemple : *Après que le fauteuil en apesanteur et le lit aux pierres chaudes vous **auront détendu**, vous aurez l'énergie nécessaire pour bien finir votre journée.*

Le subjonctif présent

• Pour exprimer un ordre

La manière la plus fréquente pour exprimer une interdiction est d'utiliser le verbe *interdire*.
Le verbe *défendre* est plus soutenu.

- ***Interdisez que* + subjonctif** (on ordonne à quelqu'un d'ordonner à son tour)
  Exemple : *Interdis**ez** / défendez qu'**on** vous réveille quand vous dormez.*
- ***J'interdis que* + subjonctif** (on ordonne soi-même ; cet ordre est valable pour tout le monde)
  Exemple : *J'interdis / je défends qu'on touche à mes affaires.*
- ***Interdire à quelqu'un de faire quelque chose* (interdire à quelqu'un + de + infinitif)**
  (on ordonne soi-même ; cet ordre est valable pour une personne en particulier)
  Exemple : *Je **t'**interdis / **te** défends **d'**entrer.*

• Pour exprimer une préférence

On utilise le subjonctif quand les sujets sont différents.
Le plus souvent, pour exprimer une préférence, on utilise le verbe *préférer*.

- **Si les sujets sont différents** : *préférer / aimer autant + que +* subjonctif
  Exemple : ***Je** préfère / préfèrerais que **vous** ne mangiez pas de biscuit.*
- **Si les sujets sont identiques,** *préférer* est suivi d'un verbe à l'infinitif.
  Exemple : *Je préfère / préfèrerais ne pas manger de biscuit.*

• Pour exprimer un doute ou quelque chose d'incertain

On utilise un verbe d'opinion à la forme négative suivi du subjonctif.
Exemples : *Je ne crois pas que ce **soit** important*
*Je ne pense pas qu'il **vienne** avec nous.*
*Je ne suis pas certain qu'il **comprenne** la situation.*
*Je doute qu'il **soit** d'accord.*

La condition et l'hypothèse avec *si*

• Pour exprimer la condition

- On utilise **Si + présent, présent** / **impératif** / **futur**.
  Exemple : *Si tu **as** le temps, **tu peux regarder** / **regarde** / **tu regarderas** ce film.*

• Pour exprimer une hypothèse dans le présent, dont la réalisation est peu probable

- On utilise **Si + imparfait, conditionnel présent** / **conditionnel passé**.
  Exemple : ***Si** on me le proposait, j'accepterais.*
  ***Si** j'étais une fleur, je serais une rose.*

• Pour exprimer une hypothèse dans le passé, dont la réalisation est impossible

- Quand il y a une conséquence dans le présent on utilise **Si + plus-que-parfait, conditionnel présent**.
  Exemple : *Si la révolution n'avait pas eu lieu, ce pays serait différent aujourd'hui.*
- Quand il y a une conséquence dans le passé on utilise **Si + plus-que-parfait, conditionnel passé**.
  Exemple : *Si j'avais été à ta place, j'aurais fait la même chose.* (dans le passé)

Les pronoms *y* et *en*

• Le pronom *y*

- Le pronom *y* remplace un groupe nominal désignant un lieu qui est introduit par *à, dans, sur, en, chez.*
  Exemple : *Je vais en Argentine.* ➔ *J'y vais.*

• Le pronom *en*

- Le pronom *en* remplace :
  - un COD (accompagné d'un quantifiant ; numéral, partitif ou indéfini)
  Exemple : *Des photos de mes vacances ?* ➔ *Oui, j'**en** ai plein !*
  - un complément de lieu (introduit par *de / du*)
  Exemple : *Tu viens du Maghreb ?* ➔ *Oui, j'**en** viens.*

La place des pronoms

■ Quand il y a plusieurs pronoms dans la phrase, ils se placent dans un certain ordre.

Sujet	me te se nous vous	le la l' les	lui leur y	en	Verbe

Exemples :
- *Le formateur envoie le document aux étudiants ?*
*Oui, il **le leur** envoie. / Non, il ne **le leur** envoie pas.*
- *Tu as parlé de ce projet à Suzanne ?*
*Oui, je **lui en** ai parlé / Non, je ne **lui en** ai pas parlé.*

Attention à la place de la négation *ne ... pas.*

■ À l'impératif affirmatif, les pronoms se placent après le verbe :

<table>
<tr><td rowspan="3">Verbe</td><td rowspan="3">le
la
les
le</td><td>nous
vous
lui
leur</td><td>y</td><td rowspan="2">en</td></tr>
<tr><td colspan="2">m'
t'</td></tr>
<tr><td colspan="3">moi
toi</td></tr>
</table>

Exemples :
- *Je dois lui parler de cette méthode ? Oui, parle-**lui-en**.*
- *Je te dis ce que je pense ? Oui, dis-**le-moi**.*

⚠ Dans ce cas, les pronoms sont reliés par un trait-d'union.

Les relations logiques

1. La cause

a. ***Comme*** et ***puisque* :** Si deux causes sont exprimées, on utilise d'abord **l'expression de cause** puis ***que***.
Exemples : *__Comme__ il y a beaucoup d'interdictions de stationner et __que__ les parkings à étages n'existent pas, les automobilistes payent très souvent des amendes.*
__Puisque__ se garer en ville est devenu mission impossible et __que__ les gens tournent 20 minutes minimum pour trouver une place, il vaut mieux en rire !

b. ***Grâce à*** : Si deux causes sont exprimées, on utilisera d'abord **l'expression de cause** puis ***et à*** / ***au*** / ***aux***.
Exemple : *__Grâce à__ cette campagne __et à__ son humour, la marque fait une très belle publicité de sa petite voiture.*

c. **Le participe présent**

- Pour les temps simples (présent, imparfait) : (*ne / n'*) + participe présent (*pas*)
  Exemples :
  – *Comme la marque voulait vendre un maximum de voitures, elle a imaginé une campagne très originale.*
  ➔ *__Voulant__ vendre un maximum de voitures, la marque a imaginé une campagne très originale.*
  – *Comme cette marque ne veut pas proposer la même chose que les autres, elle a inventé une toute petite voiture pour la ville.* ➔ *__Ne voulant pas__ proposer la même chose que les autres, cette marque a inventé une toute petite voiture pour la ville.*
- Pour les temps composés (passé composé, plus-que-parfait) : (*ne / n'*) + auxiliaire au participe présent (+ pas) + participe passé du verbe
  Exemples :
  – *Comme j'ai trouvé la campagne originale, j'ai acheté cette voiture.*
  ➔ *__Ayant trouvé__ la campagne originale, j'ai acheté cette voiture.*
  – *Comme je n'ai pas trouvé cette campagne amusante, je n'ai pas acheté cette voiture.*
  ➔ *__N'ayant pas trouvé__ cette campagne amusante, je n'ai pas acheté cette voiture.*

Remarque : si les sujets sont différents, il faut les préciser. Dans ce cas-là, la phrase ne commence pas par le participe présent mais par le premier sujet.
Exemple : *__La campagne__ ayant eu un grand succès, __la marque__ a gagné beaucoup d'argent.*

d. **Étant donné**
Il peut être suivi d'une phrase à l'indicatif, d'un nom, mais également d'un nom + **une relative**.
Exemple : *Étant donné le nombre de médicaments __que l'on trouve en pharmacie__, leur vente explose.*

2. La conséquence

a. Pour exprimer la conséquence, on peut utiliser :
donc / si bien que... / de sorte que... / au point que / tant [...] que / tellement [...] que / si [...] que / assez [...] pour que / telle, tels, telles [...] que...
Exemple : *Cette association est ouverte à tous, __si bien__ que chacun peut y développer ses talents.*

Remarque : si / tellement / tant que... expriment l'intensité.
- **si** donne un caractère intensif à l'adjectif et à l'adverbe.
Exemple : *Les activités sont __si__ variées __que__ vous trouverez forcément votre bonheur.*
- **tant** donne un caractère quantitatif au verbe, **tant de...** donne un caractère quantitatif au nom ; **tellement de** donne un caractère intensif et quantitatif au nom.
  Exemple : *J'ai __tellement de travail que__ je ne prendrai pas de vacances.*

⚠ **tant** et **tellement** changent de position selon le temps du verbe.
Exemples :
- *La maison de quartier propose tellement d'activités que je ne sais pas quoi choisir.*
- *Elle a tellement dansé qu'elle est fatiguée.*

b. On peut utiliser **des mots de liaison :**
alors / aussi / ainsi / d'où / par conséquent…
Exemple : *Vous y trouverez* ***par conséquent*** *des activités variées de loisirs.*

Remarques :
- **alors** indique un lien logique fort entre la cause et la conséquence. Il s'utilise surtout à l'oral.
- **par conséquent** est surtout utilisé à l'écrit.

Exemple : *Alors j'avais l'impression de me tuer à la tâche.*

⚠ **D'où** est suivi d'un nom.
Exemple : *Je n'avais plus de temps pour moi,* ***d'où*** *l'idée de quitter mon emploi.*

c. On peut utiliser **la juxtaposition de deux phrases indépendantes**.
L'expression de la conséquence est alors implicite.
Exemple : *Vous aimez le sport et la musique ; venez nous rejoindre.*

La subordonnée de conséquence est suivie de :

L'indicatif	du subjonctif
de telle sorte que, de sorte que de telle manière que, de manière que au point que si bien que si / tellement + adj. que	de sorte que de manière que trop / assez… pour que trop peu pour que sans que

3. Le but

Il est possible d'exprimer le but à la forme négative : ***pour*** / ***afin de*** + les deux parties de la négation + le verbe à l'infinitif.
Exemples :
- ***Pour ne pas*** / ***afin de ne pas*** *chercher une place trop longtemps, une toute petite voiture de ville, c'est idéal !*
- ***Pour ne plus*** / ***afin de ne plus*** *perdre de temps, garez-vous dans les parkings à étages !*

4. L'opposition et la concession

a. Pour opposer deux faits indépendants l'un de l'autre, on peut utiliser :
- **alors que** (suivi de l'indicatif)
  Exemple : *Il voyage souvent* ***alors que*** *ses amis préfèrent rester chez eux.*
- **par contre** (courant), **en revanche** (soutenu)
  Exemple : *Il travaille peu,* ***par contre*** *il s'occupe beaucoup de ses enfants.*
- **au contraire**
  Exemple : *Tu ne me déranges pas,* ***au contraire****, je voulais te voir.*
- **Contrairement à** + nom
  Exemple : ***Contrairement à*** *mes amis, j'ai du temps pour moi.*

b. La concession permet d'exprimer une contradiction entre deux faits :
- **bien que** + subjonctif
- **même si** + indicatif
  Exemples :
  - ***Bien qu'****il soit jeune, il ne s'intéresse pas aux nouvelles technologies.*
  - *Il ne viendra pas* ***même si*** *tu le lui demandes.*
- **malgré** + nom
  Exemple : *Il est sorti* ***malgré*** *le froid.*
- **cependant** (soutenu), **toutefois** (soutenu), **pourtant** (courant)
  Exemple : *Il a de bons résultats,* ***pourtant*** *il ne travaille pas beaucoup.*
- **quand même**
  Exemples :
  - *Il est malade mais il vient* ***quand même****.*
  - *Il était malade mais il est* ***quand même*** *venu.*

Remarque : on peut renforcer *quand même* avec *mais*.

La nominalisation

Il existe des noms féminins que l'on construit à partir d'un **adjectif** ou d'un **verbe**.

1. Noms à base adjectivale

noms en -*té* : beau → la beauté ; divers → la diversité ; fier → la fierté ; bon → la bonté...
noms en -*ce* : abondant → l'abondance ; fort → la force ; important → l'importance ; différent → la différence...
noms en -*esse* : juste → la justesse ; gentil → la gentillesse ; sage → la sagesse...
noms en -*rie, -ie* : étourdi → l'étourderie ; jaloux → la jalousie ; sympathique → la sympathie...
noms en -*ise* : gourmand → la gourmandise ; bête → la bêtise...
noms en -*itude* : apte → l'aptitude ; seul → la solitude ; exact → l'exactitude...
noms en -*eur* : lent → la lenteur ; long → la longueur ; doux → la douceur...

2. Noms à base verbale

noms en -*tion* : décrire → la description ; interdire → l'interdiction ; construire → la construction ; diminuer → la diminution ; disparaître → la disparition...
noms en -*ation* : augmenter → l'augmentation ; déclarer → la déclaration...
noms en -*sion* : voir → la vision ; supprimer → la suppression ; exploser → l'explosion...
noms en -*xion* : réfléchir → la réflexion ; connecter → la connexion...
noms en -*ade* : se balader → la balade ; se promener → la promenade...
noms en -*ure* : fermer → la fermeture ; casser → la cassure ; signer → la signature...
noms formés à partir du féminin du participe passé : arriver → l'arrivée ; monter → la montée ; sortir → la sortie ; entrer → l'entrée...

INFINITIF DU VERBE	Présent	Imparfait	Futur simple	Passé composé	Plus-que-parfait
ÊTRE	je suis tu es il est nous sommes vous êtes ils sont	j'étais tu étais il était nous étions vous étiez ils étaient	je serai tu seras il sera nous serons vous serez ils seront	j'ai été tu as été il a été nous avons été vous avez été ils ont été	j'avais été tu avais été il avait été nous avions été vous aviez été ils avaient été
AVOIR	j'ai tu as il a nous avons vous avez ils ont	j'avais tu avais il avait nous avions vous aviez ils avaient	j'aurai tu auras il aura nous aurons vous aurez ils auront	j'ai eu tu as eu il a eu nous avons eu vous avez eu ils ont eu	j'avais eu tu avais eu il avait eu nous avions eu vous aviez eu ils avaient eu
ARRIVER	j'arrive tu arrives il arrive nous arrivons vous arrivez ils arrivent	j'arrivais tu arrivais il arrivait nous arrivions vous arriviez ils arrivaient	j'arriverai tu arriveras il arrivera nous arriverons vous arriverez ils arriveront	je suis arrivé(e) tu es arrivé(e) il(elle) est arrivé(e) nous sommes arrivé(e)s vous êtes arrivé(e)s ils(elles) sont arrivé(e)s	j'étais arrivé(e) tu étais arrivé(e) il(elle) était arrivé(e) nous étions arrivé(e)s vous étiez arrivé(e)s ils(elles) étaient arrivé(e)s
TRAVAILLER	je travaille tu travailles il travaille nous travaillons vous travaillez ils travaillent	je travaillais tu travaillais il travaillait nous travaillions vous travailliez ils travaillaient	je travaillerai tu travailleras il travaillera nous travaillerons vous travaillerez ils travailleront	j'ai travaillé tu as travaillé il a travaillé nous avons travaillé vous avez travaillé ils ont travaillé	j'avais travaillé tu avais travaillé il avait travaillé nous avions travaillé vous aviez travaillé ils avaient travaillé
FINIR	je finis tu finis il finit nous finissons vous finissez ils finissent	je finissais tu finissais il finissait nous finissions vous finissiez ils finissaient	je finirai tu finiras il finira nous finirons vous finirez ils finiront	j'ai fini tu as fini il a fini nous avons fini vous avez fini ils ont fini	j'avais fini tu avais fini il avait fini nous avions fini vous aviez fini ils avaient fini
ALLER	je vais tu vas il va nous allons vous allez ils vont	j'allais tu allais il allait nous allions vous alliez ils allaient	j'irai tu iras il ira nous irons vous irez ils iront	je suis allé(e) tu es allé(e) il(elle) est allé(e) nous sommes allé(e)s vous êtes allé(e)s ils(elles) sont allé(e)s	j'étais allé(e) tu étais allé(e) il(elle) était allé(e) nous étions allé(e)s vous étiez allé(e)s ils(elles) étaient allé(e)s
CONNAÎTRE	je connais tu connais il connaît nous connaissons vous connaissez ils connaissent	je connaissais tu connaissais il connaissait nous connaissions vous connaissiez ils connaissaient	je connaîtrai tu connaîtras il connaîtra nous connaîtrons vous connaîtrez ils connaîtront	j'ai connu tu as connu il a connu nous avons connu vous avez connu ils ont connu	j'avais connu tu avais connu il avait connu nous avions connu vous aviez connu ils avaient connu
DEVOIR	je dois tu dois il doit nous devons vous devez ils doivent	je devais tu devais il devait nous devions vous deviez ils devaient	je devrai tu devras il devra nous devrons vous devrez ils devront	j'ai dû tu as dû il a dû nous avons dû vous avez dû ils ont dû	j'avais dû tu avais dû il avait dû nous avions dû vous aviez dû ils avaient dû

Futur antérieur	Conditionnel	Conditionnel passé	Subjonctif	Impératif
j'aurai été tu auras été il aura été nous aurons été vous aurez été ils auront été	je serais tu serais il serait nous serions vous seriez ils seraient	j'aurais été tu aurais été il aurait été nous aurions été vous auriez été ils auraient été	que je sois que tu sois qu'il soit que nous soyons que vous soyez qu'ils soient	sois soyons soyez
j'aurai eu tu auras eu il aura été nous aurons eu vous aurez eu ils auront eu	j'aurais tu aurais il aurait nous aurions vous auriez ils auraient	j'aurais eu tu aurais eu il aurait eu nous aurions eu vous auriez eu ils auraient eu	que j'aie que tu aies qu'il ait que nous ayons que vous ayez qu'ils aient	aie ayons ayez
je serai arrivé(e) tu seras arrivé(e) il(elle) sera arrivé(e) nous serons arrivé(e)s vous serez arrivé(e)s ils(elles) seront arrivé(e)s	j'arriverais tu arriverais il arriverait nous arriverions vous arriveriez ils arriveraient	je serais arrivé(e) tu serais arrivé(e) il(elle) serait arrivé(e) nous serions arrivé(e)s vous seriez arrivé(e)s ils(elles) seraient arrivé(e)s	que j'arrive que tu arrives qu'il arrive que nous arrivions que vous arriviez qu'ils arrivent	arrive arrivons arrivez
j'aurai travaillé tu auras travaillé il aura travaillé nous aurons travaillé vous aurez travaillé ils auront travaillé	je travaillerais tu travaillerais il travaillerait nous travaillerions vous travailleriez ils travailleraient	j'aurais travaillé tu aurais travaillé il aurait travaillé nous aurions travaillé vous auriez travaillé ils auraient travaillé	que je travaille que tu travailles qu'il travaille que nous travaillions que vous travailliez qu'ils travaillent	travaille travaillons travaillez
j'aurai fini tu auras fini il aura fini nous aurons fini vous aurez fini ils auront fini	je finirais tu finirais il finirait nous finirions vous finiriez ils finiraient	j'aurais fini tu aurais fini il aurait fini nous aurions fini vous auriez fini ils auraient fini	que je finisse que tu finisses qu'il finisse que nous finissions que vous finissiez qu'ils finissent	finis finissons finissez
je serai allé(e) tu seras allé(e) il(elle) sera allé(e) nous serons allé(e)s vous serez allé(e)s ils(elles) seront allé(e)s	j'irais tu irais il irait nous irions vous iriez ils iraient	je serais allé(e) tu serais allé(e) il(elle) serait allé(e) nous serions allé(e)s vous seriez allé(e)s ils(elles) seraient allé(e)s	que j'aille que tu ailles qu'il aille que nous allions que vous allions qu'ils aillent	va allons allez
j'aurai connu tu auras connu il aura connu nous aurons connu vous aurez connu ils auront connu	je connaîtrais tu connaîtrais il connaîtrait nous connaîtrions vous connaîtriez ils connaîtraient	j'aurais connu tu aurais connu il aurait connu nous aurions connu vous auriez connu ils auraient connu	que je connaisse que tu connaisses qu'il connaisse que nous connaissions que vous connaissiez qu'ils connaissent	connais connaissons connaissez
j'aurai dû tu auras dû il aura dû nous aurons dû vous aurez dû ils auront dû	je devrais tu devrais il devrait nous devrions vous devriez ils devraient	j'aurais dû tu aurais dû il aurait dû nous aurions dû vous auriez dû ils auraient dû	que je doive que tu doives qu'il doive que nous devions que vous deviez qu'ils doivent	dois devons devez

INFINITIF DU VERBE	Présent	Imparfait	Futur simple	Passé composé	Plus-que-parfait
DIRE	je dis tu dis il dit nous disons vous dites ils disent	je disais tu disais il disait nous disions vous disiez ils disaient	je dirai tu diras il dira nous dirons vous direz ils diront	j'ai dit tu as dit il a dit nous avons dit vous avez dit ils ont dit	j'avais dit tu avais dit il avait dit nous avions dit vous aviez dit ils avaient dit
DORMIR	je dors tu dors il dort nous dormons vous dormez ils dorment	je dormais tu dormais il dormait nous dormions vous dormiez ils dormaient	je dormirai tu dormiras il dormira nous dormirons vous dormirez ils dormiront	j'ai dormi tu as dormi il a dormi nous avons dormi vous avez dormi ils ont dormi	j'avais dormi tu avais dormi il avait dormi nous avions dormi vous aviez dormi ils avaient dormi
ÉCRIRE	j'écris tu écris il écrit nous écrivons vous écrivez ils écrivent	j'écrivais tu écrivais il écrivait nous écrivions vous écriviez ils écrivaient	j'écrirai tu écriras il écrira nous écrirons vous écrirez ils écriront	j'ai écrit tu as écrit il a écrit nous avons écrit vous avez écrit ils ont écrit	j'avais écrit tu avais écrit il avait écrit nous avions écrit vous aviez écrit ils avaient écrit
ENTENDRE	j'entends tu entends il entend nous entendons vous entendez ils entendent	j'entendais tu entendais il entendait nous entendions vous entendiez ils entendaient	j'entendrai tu entendras il entendra nous entendrons vous entendrez ils entendront	j'ai entendu tu as entendu il a entendu nous avons entendu vous avez entendu ils ont entendu	j'avais entendu tu avais entendu il avait entendu nous avions entendu vous aviez entendu ils avaient entendu
FAIRE	je fais tu fais il fait nous faisons vous faites ils font	je faisais tu faisais il faisait nous faisions vous faisiez ils faisaient	je ferai tu feras il fera nous ferons vous ferez ils feront	j'ai fait tu as fait il a fait nous avons fait vous avez fait ils ont fait	j'avais fait tu avais fait il avait fait nous avions fait vous aviez fait ils avaient fait
LIRE	je lis tu lis il lit nous lisons vous lisez ils lisent	je lisais tu lisais il lisait nous lisions vous lisiez ils lisaient	je lirai tu liras il lira nous lirons vous lirez ils liront	j'ai lu tu as lu il a lu nous avons lu vous avez lu ils ont lu	j'avais lu tu avais lu il avait lu nous avions lu vous aviez lu ils avaient lu
PARTIR	je pars tu pars il part nous partons vous partez ils partent	je partais tu partais il partait nous partions vous partiez ils partaient	je partirai tu partiras il partira nous partirons vous partirez ils partiront	je suis parti(e) tu es parti(e) il(elle) est parti(e) nous sommes parti(e)s vous êtes parti(e)s ils(elles) sont parti(e)s	j'étais parti(e) tu étais parti(e) il(elle) était parti(e) nous étions parti(e)s vous étiez parti(e)s ils(elles) étaient parti(e)s
POUVOIR	je peux tu peux il peut nous pouvons vous pouvez ils peuvent	je pouvais tu pouvais il pouvait nous pouvions vous pouviez ils pouvaient	je pourrai tu pourras il pourra nous pourrons vous pourrez ils pourront	j'ai pu tu as pu il a pu nous avons pu vous avez pu ils ont pu	j'avais pu tu avais pu il avait pu nous avions pu vous aviez pu ils avaient pu

Futur antérieur	Conditionnel	Conditionnel passé	Subjonctif	Impératif
j'aurai dit tu auras dit il aura dit nous aurons dit vous aurez dit ils auront dit	je dirais tu dirais il dirait nous dirions vous diriez ils diraient	j'aurais dit tu aurais dit il aurait dit nous aurions dit vous auriez dit ils auraient dit	que je dise que tu dises qu'il dise que nous disions que vous disiez qu'ils disent	dis disons dites
j'aurai dormi tu auras dormi il aura dormi nous aurons dormi vous aurez dormi ils auront dormi	je dormirais tu dormirais il dormirait nous dormirions vous dormiriez ils dormiraient	j'aurais dormi tu aurais dormi il aurait dormi nous aurions dormi vous auriez dormi ils auraient dormi	que je dorme que tu dormes qu'il dorme que nous dormions que vous dormiez qu'ils dorment	dors dormons dormez
j'aurai écrit tu auras écrit il aura écrit nous aurons écrit vous aurez écrit ils auront écrit	j'écrirais tu écrirais il écrirait nous écririons vous écririez ils écriraient	j'aurais écrit tu aurais écrit il aurait écrit nous aurions écrit vous auriez écrit ils auraient écrit	que j'écrive que tu écrives qu'il écrive que nous écrivions que vous écriviez qu'ils écrivent	écris écrivons écrivez
j'aurai entendu tu auras entendu il aura entendu nous aurons entendu vous aurez entendu ils auront entendu	j'entendrais tu entendrais il entendrait nous entendrions vous entendriez ils entendraient	j'aurais entendu tu aurais entendu il aurait entendu nous aurions entendu vous auriez entendu ils auraient entendu	que j'entende que tu entendes qu'il entende que nous entendions que vous entendiez qu'ils entendent	entends entendons entendez
j'aurai fait tu auras fait il aura fait nous aurons fait vous aurez fait ils auront fait	je ferais tu ferais il ferait nous ferions vous feriez ils feraient	j'aurais fait tu aurais fait il aurait fait nous aurions fait vous auriez fait ils auraient fait	que je fasse que tu fasses qu'il fasse que nous fassions que vous fassiez qu'ils fassent	fais faisons faites
j'aurai lu tu auras lu il aura lu nous aurons lu vous aurez lu ils auront lu	je lirais tu lirais il lirait nous lirions vous liriez ils liraient	j'aurais lu tu aurais lu il aurait lu nous aurions lu vous auriez lu ils auraient lu	que je lise que tu lises qu'il lise que nous lisions que vous lisiez qu'ils lisent	lis lisons lisez
je serai parti(e) tu seras parti(e) il(elle) sera parti(e) nous serons parti(e)s vous serez parti(e)s ils(elles) seront parti(e)s	je partirais tu partirais il partirait nous partirions vous partiriez ils partiraient	je serais parti(e) tu serais parti(e) il(elle) serait parti(e) nous serions parti(e)s vous seriez parti(e)s ils(elles) seraient parti(e)s	que je parte que tu partes qu'il parte que nous partions que vous partiez qu'ils partent	pars partons partez
j'aurai pu tu auras pu il aura pu nous aurons pu vous aurez pu ils auront pu	je pourrais tu pourrais il pourrait nous pourrions vous pourriez ils pourraient	j'aurais pu tu aurais pu il aurait pu nous aurions pu vous auriez pu ils auraient pu	que je puisse que tu puisses qu'il puisse que nous puissions que vous puissiez qu'ils puissent	–

INFINITIF DU VERBE	Présent	Imparfait	Futur simple	Passé composé	Plus-que-parfait
PRENDRE	je prends tu prends il prend nous prenons vous prenez ils prennent	je prenais tu prenais il prenait nous prenions vous preniez ils prenaient	je prendrai tu prendras il prendra nous prendrons vous prendrez ils prendront	j'ai pris tu as pris il a pris nous avons pris vous avez pris ils ont pris	j'avais pris tu avais pris il avait pris nous avions pris vous aviez pris ils avaient pris
SAVOIR	je sais tu sais il sait nous savons vous savez ils savent	je savais tu savais il savait nous savions vous saviez ils savaient	je saurai tu sauras il saura nous saurons vous saurez ils sauront	j'ai su tu as su il a su nous avons su vous avez su ils ont su	j'avais su tu avais su il avait su nous avions su vous aviez su ils avaient su
VENIR	je viens tu viens il vient nous venons vous venez ils viennent	je venais tu venais il venait nous venions vous veniez ils venaient	je viendrai tu viendras il viendra nous viendrons vous viendrez ils viendront	je suis venu(e) tu es venu(e) il(elle) est venu(e) nous sommes venu(e)s vous êtes venu(e)s ils(elles) sont venu(e)s	j'étais venu(e) tu étais venu(e) il(elle) était venu(e) nous étions venu(e)s vous étiez venu(e)s ils(elles) étaient venu(e)s
VIVRE	je vis tu vis il vit nous vivons vous vivez ils vivent	je vivais tu vivais il vivait nous vivions vous viviez ils vivaient	je vivrai tu vivras il vivra nous vivrons vous vivrez ils vivront	j'ai vécu tu as vécu il a vécu nous avons vécu vous avez vécu ils ont vécu	j'avais vécu tu avais vécu il avait vécu nous avions vécu vous aviez vécu ils avaient vécu
VOIR	je vois tu vois il voit nous voyons vous voyez ils voient	je voyais tu voyais il voyait nous voyions vous voyiez ils voyaient	je verrai tu verras il verra nous verrons vous verrez ils verront	j'ai vu tu as vu il a vu nous avons vu vous avez vu ils ont vu	j'avais vu tu avais vu il avait vu nous avions vu vous aviez vu ils avaient vu
VOULOIR	je veux tu veux il veut nous voulons vous voulez ils veulent	je voulais tu voulais il voulait nous voulions vous vouliez ils voulaient	je voudrai tu voudras il voudra nous voudrons vous voudrez ils voudront	j'ai voulu tu as voulu il a voulu nous avons voulu vous avez voulu ils ont voulu	j'avais voulu tu avais voulu il avait voulu nous avions voulu vous aviez voulu ils avaient voulu
SE LEVER	je me lève tu te lèves il se lève nous nous levons vous vous levez ils se lèvent	je me levais tu te levais il se levait nous nous levions vous vous leviez ils se levaient	je me lèverai tu te lèveras il se lèvera nous nous lèverons vous vous lèverez ils se lèveront	je me suis levé(e) tu t'es levé(e) il(elle) s'est levé(e) nous nous sommes levé(e)s vous vous êtes levé(e)s ils(elles) se sont levé(e)s	je m'étais levé(e) tu t'étais levé(e) il(elle) s'était levé(e) nous nous étions levé(e)s vous vous étiez levé(e)s ils(elles) s'étaient levé(e)s

Futur antérieur	Conditionnel	Conditionnel passé	Subjonctif	Impératif
j'aurai pris tu auras pris il aura pris nous aurons pris vous aurez pris ils auront pris	je prendrais tu prendrais il prendrait nous prendrions vous prendriez ils prendraient	j'aurais pris tu aurais pris il aurait pris nous aurions pris vous auriez pris ils auraient pris	que je prenne que tu prennes qu'il prenne que nous prenions que vous preniez qu'ils prennent	prends prenons prenez
j'aurai su tu auras su il aura su nous aurons su vous aurez su ils auront su	je saurais tu saurais il saurait nous saurions vous sauriez ils sauraient	j'aurais su tu aurais su il aurait su nous aurions su vous auriez su ils auraient su	que je sache que tu saches qu'il sache que nous sachions que vous sachiez qu'ils sachent	sache sachons sachez
je serai venu(e) tu seras venu(e) il(elle) sera venu(e) nous serons venu(e)s vous serez venu(e)s ils(elles) seront venu(e)s	je viendrais tu viendrais il viendrait nous viendrions vous viendriez ils viendraient	je serais venu(e) tu serais venu(e) il(elle) serait venu(e) nous serions venu(e)s vous seriez venu(e)s ils(elles) seraient venu(e)s	que je vienne que tu viennes qu'il vienne que nous venions que vous veniez qu'ils viennent	viens venons venez
j'aurai vécu tu auras vécu il aura vécu nous aurons vécu vous aurez vécu ils auront vécu	je vivrais tu vivrais il vivrait nous vivrions vous vivriez ils vivraient	j'aurais vécu tu aurais vécu il aurait vécu nous aurions vécu vous auriez vécu ils auraient vécu	que je vive que tu vives qu'il vive que nous vivions que vous viviez qu'ils vivent	vis vivons vivez
j'aurai vu tu auras vu il aura vu nous aurons vu vous aurez vu ils auront vu	je verrais tu verrais il verrait nous verrions vous verriez ils verraient	j'aurais vu tu aurais vu il aurait vu nous aurions vu vous auriez vu ils auraient vu	que je voie que tu voies qu'il voie que nous voyions que vous voyiez qu'ils voient	vois voyons voyez
j'aurai voulu tu auras voulu il aura voulu nous aurons voulu vous aurez voulu ils auront voulu	je voudrais tu voudrais il voudrait nous voudrions vous voudriez ils voudraient	j'aurais voulu tu aurais voulu il aurait voulu nous aurions voulu vous auriez voulu ils auraient voulu	que je veuille que tu veuilles qu'il veuille que nous voulions que vous vouliez qu'ils veuillent	veux (veuille) voulons voulez (veuillez)
je me serai levé(e) tu te seras levé(e) il(elle) se sera levé(e) nous nous serons levé(e)s vous vous serez levé(e)s ils(elles) se seront levé(e)s	je me lèverais tu te lèverais il se lèverait nous nous lèverions vous vous lèveriez ils se lèveraient	je me serais levé(e) tu te serais levé(e) il(elle) se serait levé(e) nous nous serions levé(e)s vous vous seriez levé(e)s ils(elles) se seraient levé(e)s	que je me lève que tu te lèves qu'il se lève que nous nous levions que vous vous leviez qu'ils se lèvent	lève-toi levons-nous levez-vous

LE DVD-ROM

Le DVD-Rom contient les ressources vidéo et audio de votre méthode (livre de l'élève et cahier d'activités).

Vous pouvez l'utiliser :

- **Sur votre ordinateur (PC ou Mac)**

Pour visionner la vidéo, écouter l'audio, extraire l'audio et le charger sur votre lecteur mp3 ou convertir les fichiers mp3 en fichier audio Windows Media Player (PC) ou AAC (Mac) et les graver sur un CD-audio à usage strictement personnel.

- **Sur votre lecteur DVD compatible DVD-Rom**

Pour visionner la vidéo et écouter l'audio.

Mode d'emploi et contenu du DVD-Rom

Pour afficher le contenu du DVD-Rom, il est nécessaire d'explorer le DVD à partir de l'icône du DVD. Après insertion du DVD-Rom dans votre ordinateur, celle-ci s'affiche dans le poste de travail (PC) ou sur le bureau (Mac).

– **Sur PC :** effectuez un clic droit sur l'icône du DVD et sélectionnez « Explorer » dans le menu contextuel.

– **Sur Mac :** cliquez sur l'icône du DVD.

Dans le cas où la lecture des fichiers vidéo ou audio démarre automatiquement sur votre machine, fermez la fenêtre de lecture puis procédez à l'opération décrite ci-dessus.

Le contenu du DVD-Rom est organisé de la manière suivante :

- **un dossier AUDIO**

Double-cliquez ou cliquez sur le dossier AUDIO. Vous accédez à deux sous-dossiers : Livre de l'élève et Cahier d'activités.
Double-cliquez ou cliquez sur le sous-dossier correspondant aux contenus audio que vous souhaitez consulter.
Afin de vous permettre d'identifier rapidement l'élément audio qui vous intéresse, les fichiers audio ont été nommés en faisant référence à l'unité ou à la leçon à laquelle le contenu audio se rapporte (par exemple U1_L1 pour la leçon 1). Les noms de fichier font également référence au numéro de page et à l'exercice ou l'activité auxquels ils se rapportent. Exemple : LE_U2_L5_p38_exercice1
→ Ce fichier audio correspond à l'exercice 1 de la leçon 5, à la page 38 du livre de l'élève.

- **un dossier VIDÉO**

Double-cliquez ou cliquez sur le dossier VIDEO. Vous accédez à deux sous-dossiers : Vidéo VO et Vidéo VOST.

Double-cliquez ou cliquez sur le dossier correspondant aux contenus vidéo que vous souhaitez consulter (VO pour la version originale sans les sous-titres, VOST pour la version originale avec les sous-titres en français).
Double-cliquez ou cliquez sur le fichier vidéo correspondant à la séquence que vous souhaitez visionner.

Les fichiers audio et vidéo contenus sur le DVD-Rom sont des fichiers compressés. En cas de problème de lecture avec le lecteur média habituel de votre ordinateur, installez VLC Media Player, le célèbre lecteur multimédia open source.
Pour rappel, ce logiciel libre peut lire pratiquement tous les formats audio et vidéo sans avoir à télécharger quoi que ce soit d'autre.
→ Recherchez «télécharger VLC» avec votre moteur de recherche habituel, puis installez le programme.

N° de projet : 10184390 - Dépôt légal : juillet 2013
Achevé d'imprimer sur les presses de «La Tipografica Varese S.p.A.» en Italie